情海

岑凱倫 著

情海

作者：岑凱倫
出版：環球出版社
發行：環球出版社
香港上環新街五至十三號
環球大廈三樓
電話：二五四七 三三七七
郵政信箱：一五八六
電報掛號：四〇一三
圖文傳眞：二五四〇 四四二二
星加坡發行：新文化機構
星加坡大牌二三一，門牌九十九
二樓培英街，百勝樓
印刷：威駿彩印釘裝有限公司
定價：港幣五十元
一九九九年夏季再版

文藝小說

■ PRINTED IN HONG KONG ■ PRICE HK 50.00

一個年輕英俊的男歌手，幾個標緻的女孩子，翻起了情海波濤！

目錄

學府情潮

余占美、湯大偉，是兩個要好的朋友。

他們同在一間大學唸書，同是唸工科，同一個宿舍，同在校外的餐廳吃午飯和晚餐。

交了伙食費，可是他們都不在學校吃，因為，學校的飯菜，不及餐店的美味。

他們同是富家子，占美的爸爸是個著名的腦科專家，祖父是太平紳士，母親是名門望族。

大偉的父親是娛樂、飲食業的鉅子，祖父留下好幾幢房子、地產別墅給他的父親，母親是個美容專家，在她的名下，有幾間美容院。

他們都是獨生子，因此，把他們寵壞了！

占美脾氣猛，容易動火，也愛爭道理，為一件事，也可以和人爭論半天。大偉的脾氣是和順了些，不過他任性、不羈，也不大肯聽別人的勸告，喜歡獨斷獨行。

他們不單祇同在一間大學，同一宿舍，同一家庭背景，甚至連嗜好也相同。

他們喜歡開快車，喜歡刺激，占美有一架白色的最新款跑車，而大偉的是紅色的跑車。

他們也喜歡駕馬力强勁的電單車，兩架同是紅色，他們常常並駕齊驅，引起了不少人的注意。

占美喜歡運動，他喜歡打籃球；大偉不大喜歡運動，他最喜歡打保齡。

他們也喜歡到郊外打獵。

他們會跳各式各樣的新潮舞，他們的髮型和服裝，也極趨時，尤其是大偉，他的衣飾常常走在時代的尖端。

他們有良好的身體，有武功底子，他們曾經一起學過空手道。

他們會很多、很多新式的玩意。

他們不單祇身體好，面孔也英俊。

占美高些健碩些，大偉個子較小，但身手靈活，活潑之外，還加上一臉令女孩子着迷的性感微笑。

兩個都是出色的男孩子。

他們豪氣，手段闊綽，因此，在學校裏，好朋友很多。

不過，樹大招風，關公也有對頭人，因此學校裏某些忍耐不住，尤其是不喜歡學校的女孩子，老是趨向他們，因此，也有不少人仇恨他們。

他們最大的對手，是胡米高，他也是個富家子，手上有錢，身旁有奉承者，他也常出風頭，也有跑車和馬力强勁的電單車，他也練過武，是運動健將，可惜，他有一張不受女孩子歡迎的歹角臉。

他追求過幾個女孩子，結果她們全投向占美和大偉。

在一場籃球賽，他領頭的一隊，被占美領頭的一隊打敗，他恨極了占美。

打保齡球，他老是輸分給大偉，他氣極了，也恨極了大偉。

他不開心，老是拉着他那張馬臉，他身旁的擁護者，見他不開心，立刻殷勤慰問。

「胡米高，爲甚麼不開心？」佐治問。

「哼！余占美和湯大偉欺人太甚！」胡米高恨恨的揮着拳頭。

「他們是驕了些，應該讓他們受點教訓。」白列說。

「給他們一點厲害看，他們就不敢不把大哥看在眼內了。」史蒂夫說。

「怎樣教訓他們？」米高問。

「揍他們一頓。」白列說。

「在學校裏打架？」佐治說：「我們先動手，校方會懲罰我們。」

「那末就在校外動手。」白列想一想說：「我倒有一個好方法，占美和大偉的跑車，都是新換了不到兩個月，我們四個人，去租四架老爺車，把他們的跑車碰壞。」

「就在停車場動手？」米高很感興趣。

「那怎麼行？停車場上有別的同學，給人家看見搗毀人家的汽車，有人會告我們一狀。」

「我沒說在停車場，我是說校外。」白烈加以解釋：「每逢星期五，他們都到清水灣的私人俱樂部玩打桌球，就在向清水灣那條闊路上，我們向他們四面夾攻。」

「這樣，就可以神不知鬼不覺，也不會牽連到學校。」

史蒂夫問：「大哥，你認爲這方法怎樣？」

「好！」米高彈一下手指，說：「把他們的寶貝汽車撞壞，氣死他們。」

「就這樣決定了？」

「對！星期六。」

＊　＊　＊

占美穿着淺藍色的窄身襯衣，深藍色喇叭褲，黑銀扣闊皮帶，脖子上紮了一條深藍底白色小圓點的頸巾。

大偉的衣服很顯眼，白色高領襯衣，紅色斜拉鍊及腰新款夾克，白色喇叭褲，紅色鴨帽。

他們說笑着，走向停車場。

「占美，今天我不想打桌球。」大偉跳上了跑車說。

「不去俱樂部了？」

「怎麼不去？祇是今天不打桌球。」

「今天又玩甚麼新玩意，你這人，就是心不能定，一天一樣。」占美比較大偉穩重些。

「今天游泳！」大偉開了車匙，打了火。

「游泳？天氣還沒有熱呢！」

「你怕冷？」

「怕甚麼？祇是游泳的時候沒有到！」

「管他甚麼時候，祇要本少爺喜歡。」大偉問：「怎樣？肯不肯陪我？」

占美模稜兩可的聳了聳肩。

大偉一踏油門，跑車飛也似的開走。

占美也跟着追了上去。

由於占美比較穩重，他每在郊區也祇開八、九十咪，而大偉，他常常開一百咪。

他們的汽車成了一前一後，出了市區，忽然，左右閃出了四輛老爺旅行車。

左邊兩輛，右邊兩輛，兩架夾住大偉的汽車，兩架夾住占美的汽車。

雖然，米高他們駕的並不是巨型旅行車，但是，起碼比跑車體積大。

因此，在實力方面他們已勝了大偉和占美。

左邊的旅行車向大偉擠，大偉閃開了，右邊的汽車立刻又擠上來。

碰！碰！

占美也受到同樣的擠壓。

眼看自己心愛的跑車凹陷了、受傷了，他們既心痛又憤怒。

突然大偉緊急煞掣，車停下來，占美也在此同時停下了車，他們倆像鳥兒似的飛出跑車外，正在找他們算賬，米高呼叫一聲，四輛旅行車立刻開走。

占美和大偉揮拳舞掌，他們罵了一頓，占美去看他的白色跑車，左右邊都凹了，漆油也脫落了！

大偉有着同樣的遭遇，他們定住了眼，看住了自己的車說：「多難看的車。」

「不去俱樂部了！」大偉沒精打采。

「我也不想去，我心急着要把跑車送進車廠去修理。」

「這麼一來，會損失一、二萬，我倒不心痛錢，祇是，我這新車不再完整了。」

「看看修理之後怎麼樣，如果改了樣，我們換一部新的。」

「胡米高和他的那班嘍囉怎麼了？」

「不知道，」占美搖一下頭：「他們一向不跟我們打交道。」

「我知道，我知道，我們不是朋友，可是，也不是敵人。」大偉攤着手：「我們之間無寃無仇，他們爲甚麼要這樣？」

「明天問問胡米高。」

「問他？才不呢！我要跟他算賬。」

「走吧！」占美跳上汽車：「希望汽車能快點修好。」

「沒汽車坐電單車。」

「別說了，在這兒掉頭。」

第二天，占美和大偉氣沖沖的去找胡米高。

占美向他瞪着怒眼。

大偉冷笑一聲，他叉着腰問：「胡米高，你吃了老虎膽？」

「說話客氣些，我們都是有教養的人。」胡米高避重就輕，昨天已報了仇，心也舒服了，氣也平了！

「有教養的人？用車碰壞人家的車，而且還以衆欺寡。」

「你在說甚麼？」胡米高攤開了手：「我一點也不明白！」

「別裝傻了，」占美一手抓住胡米高的T恤：「昨天你帶了三個人，用小型旅行車撞我們的跑車，把我的跑車撞得不成樣子。」

「喂！拉拉扯扯！」胡米高用力把占美的手拉開：「我甚麼時候、甚麼地方撞過你的車？」

「昨天下午三點鐘，在清水灣道！」

「你們有見證人嗎？」

占美和大偉呆住了，他們並沒有目擊證人。

「怎樣了？」胡米高交搭着手迫向大偉的面前：「你們存心誣告人。」

「……」

「你們冤枉我做壞事，你們毀壞我的名譽，我要你們賠償。」

「賠償？」占美高舉着雙手，說：「賠你們兩隻拳頭。」

「大哥！」白烈在他的耳邊說：「他們要向你挑戰。」

「唔！」米高點一下頭，問占美和大偉：「你們想打人？」

「我們要你賠償損失！」占美嚷着。

「不賠！」米高搖一下頭，說：「要打架却隨時奉陪！」

「來呀！」大偉向他招着手：「讓你爺爺教訓教訓你。」

「我是一個守校規的人，我不想在學校裏跟你們打。」

「你要到校外，好，甚麼時候？在哪兒？」

占美看了大偉一眼，大偉皺皺眉，不在乎的說：「讓他們作主，我們到哪兒都一樣。」

米高回過頭去，和他的跟班低聲商量，結果，決定了，米高說：「今天下課後，到學校運動場的後山坡。」

「好，我們是自願的，輸了可不准哼！」

「我們不會去告密的，就怕你們捱了一頓，受不住，向校方告發我們。」

「這還像一個男人？」占美激昂地說：「你有本領就打死我！我死了也不會叫我家人控告你。」

「一言為定！」米高得意的說。

「哼！」大偉推着占美，兩個人走開了。

*　　　　*　　　　*

「我們兩個人夠嗎？」占美問。

「他們有四個。」

「可能臨時還會加幾個。」

「我們要不要也帶些人？」

「你對你自己的武功怎樣？」

「絕對有信心。」大偉毫不考慮的說。

「那末，就由我們兩個人去應付吧！」

占美和大偉騎着心愛的電單車，到學校運動場後面的山坡去。

他們剛到，忽然一陣刺耳的聲音，六架電單車駛了過來，圍住了占美和大偉。

「六個夠了嗎？」大偉輕輕一笑。

領頭的米高也不說話，他一揮手，六輛電單車撞向大偉和占美。

叭！叭！叭！占美和大偉，同時由電單車跳出重圍。

占美和大偉站定馬步，高舉起雙手，擺起了一個空手道的架式。

米高和他的隨從，也跳了出來，三個對付大偉，三個對付占美。

占美力大無比，左手摔掉一個，右手摔跌一個，右脚直蹬踢向剩下的一個。

大偉雖然個子不大，可是身手靈活無比，一個連環三絕腿，把米高和他的走狗全打敗了。

可是，米高豈甘失敗，他們爬起來，又大夥兒衝向大偉和占美。

這一次，他們拔出了彈簧刀。

大偉眉一挑，他說：「你們想要命？」

「你們欺人太甚！」米高叫着：「我受不了！」

「欺人太甚？是你們還是我們？」占美說：「我們祇有兩個人，你却帶了五個。」
「少廢話，看刀！」米高像古代俠士那樣用短刀相向，其餘的人，也撲了上去。
大偉和占美，一方面要避開刀鋒，一方面又要擊倒對方。
大偉的手被刀割傷了，占美的臂也受了傷。
可是他們也有收穫，每人奪到一柄彈簧刀。
大偉身輕似燕，他飛跳到米高身後，抓住他的右手，然後把他的右臂向後一屈，膝蓋撞向米高的腰部，他用刀鋒抵壓住米高的咽喉。
米高掙扎着，叫着。
「別動，刀子會刺破你的咽喉。」
占美走到米高身旁，米高完全被控制了。
他的傍友想過來相救，占美把刀子稍再用力一壓，說：「誰走過來，我先殺了他！」

「別，別……」米高可眞的怕了，因爲他的生命就操縱在大偉手上。

「叫他們帶了車子滾。」占美說。

「你們……快走吧！」米高哽咽着說。

「胡大哥……」

「好，」大偉狠着臉說：「你們不走，我就殺了他。」

「殺人要塡命，」白烈嚷：「你不怕？」

「怕甚麼？」大偉聳一聳肩：「一命換一命，公道啊！」

「你們快走吧！」米高可急了：「還在囉嗦些甚麼？」

白烈想不到營救的方法，雖然他知道大偉和占美不會殺人，可是，米高受傷了，將來會埋怨他，他想過了，就手一揮說：「我們走吧！」

五個人騎着電單車絕塵而去，米高可憐兮兮的說：「可以放走我了吧？」

「有那麼容易？」

「你們眞的要殺我？」

占美看了大偉一眼，大偉笑了一下，他說：「如果你是一隻鷄就好了，宰了你可以烹燒鷄。」

「不要，不要……」

「大偉……」占美也有點擔心。

「我不會殺你的，貪生怕死的笨蛋！」大偉說：「祇要你依我一件事！」

「行，一百件也行。」

「祇有一件事，就是從此之後，不准你再騷擾我和占美。」

「我不會，我不敢！」

「你不要嘴滑心不服，要是下一次讓我抓到你，我就割掉你的耳朵。」

「不，」占美說：「削掉他的大拇指就夠了！」

「請求你們，不要。」米高冒着冷汗：「我對天發誓，再也不敢騷擾你們了！」

「好，放了你，」大偉把他推倒在地上，喝道：「滾吧！」

胡米高連忙爬起身來，上了電單車，隆隆的開走了！

大偉和占美看着他的背影，哈哈大笑。

大偉拍着占美的肩膊，說道：「這回眞的痛快了吧！」

「他回家恐怕要吃定驚丸。」

「誰叫他犯了本少爺？下次他再敢來，我眞的會砍他的手指。」

「走吧！天也暗下來了，我們該去吃晚餐。」

占美和大偉跳上電單車，他們開心地走了。

經過了那一次，胡米高果然靜了下來。

白烈和史蒂夫可不服氣，嚷着要與胡米高報仇。

「報甚麼仇？」胡米高瞪了他們一眼：「你們全都是飯桶，六個人也打不倒兩個。」

「他們的武功比我們强。」

「那還說甚麼報仇？明知自己比不上別人，就算了吧！別顯醜相了！」

「我們可以多帶幾個人。」

「帶多少個？你以爲多少個人才可以戰勝他們？」胡米高哼着問。

「這……」

「要是你有把握能打倒他們，我送你們一萬元，要是你們沒有把握，可不要拿我開玩笑，要是他們眞的砍了我的指頭和耳朵，你們能賠償？」

「這……」

「別提了！」米高手一揮：「在這兒唸書也沒有意思，我索性辦手續去美國。」

白烈不敢再說話，因爲，他也是沒有多大的信心，因此祇好作罷了！

* * *

占美和大偉，近來好像行了打架運，和胡米高鬥了一場，那一天，大偉開了汽車，和占美一起去看電影，他們知道泊位難，因此祇用一架汽車。

香港找車位之難，是世界之最，兜了幾條街，老是找不到位，火性子的占美，已經有點不耐煩，大偉也在皺眉頭。

好不容易，在一條死巷裏，遙遙見到一個車位，大偉正要駛車過去，迎面一輛房車急促扒了頭，並且把房車駛進車位裏。

由於路不夠闊，那輛車扒頭的時候，把大偉的車擠了一下。開汽車最驚怕的是被人家的汽車擠，又何況，眼巴巴的看着別人搶走了他的車位。

占美和大偉可火了，大偉把車停在那輛房車之旁，跳下了車，向那司機說：「喂！這位置是我的！」

「是你的？」那長髮司機上下打量着大偉，他看見大偉個子不大，他不屑地冷笑一聲：「這地皮是你的？這條巷子是你的？這車位刻了你的名字？」

「先到先得，這是駕駛的規矩。」

「甚麼規矩？法律規定的？你是這兒的港督？還是愛丁堡公爵？」

「哼！」占美跳了過來：「佔了便宜，還說風涼話？」

「啊！還有一個幫手，像隻大水牛。」

占美忍無可忍，他拉開車門，一手把那長髮司機抓起，揮出車外。

車廂內立刻走出了另外四個長髮青年。

司機爬起來，衝着占美就打。

而另外四個，也圍上了大偉。

長髮司機根本就不是占美的敵手，於是，另兩個立刻過來援助。

現代的年輕人，大都喜歡研究武術，一時之間，鐵沙掌、空手道、少林拳、蔡李佛拳、合氣道、柔道……大行其道，幾乎無人不識打。

問題是誰强誰弱？

大偉就是喜歡健身運動，近兩三年間，他又拜過師，練過武，所以，他的個子不高，可是身手靈活，而且人極聰明，念頭來得極快，反應迅速。

占美整整學了五年拳術，他是一個很有武功底子的人。

拳來脚往，占美和大偉打得很輕鬆，有時候，他們還捉弄對方，因爲對方根本不是他們的對手。

占美打低了三個，大偉打低了兩個。

大偉拍拍手，跳上自己的汽車，把波棍移向後波，退後了幾尺，他對占美說道：「把他們的汽車開出來。」

占美去駕汽車，直把汽車開往死巷的盡端。

大偉立刻把汽車駛進車位去。

占美由對方的汽車走出來，他說：「他們不是善男信女，他們醒過來，會把我們的汽車摧毀。」

「他們敢？」

「為甚麼不敢？我們不認識他們，他們做了壞事，我們往哪兒理論。」

大偉不單祇手脚靈活，而且腦也靈活，他想了想說：「寫一張紙條給他們。」

「怎樣寫？」

「我來寫，有紙嗎？」

占美由後褲袋內，摸出一張紙來。

大偉寫了幾行字，把字條壓在水撥下。

占美走過去看，字條內寫着：我已經抄下你們的車牌號碼，也摸走你們身上的駕駛執照，如果你們膽敢動一下我的汽車，我要你們的命！

「不錯！」占美點一下頭。

大偉道：「把他們身上的車牌拿走，快一點，要開場了！」

散場後，占美和大偉一起去吃下午茶，根本忘記剛才打架爭車位的事。

吃完下午茶，大偉說：「我們上俱樂部去。」

「開車走吧！」

回到那條死巷，大偉和占美，看見那五個被打的長髮青年，守在他們汽車之旁。

大偉走快幾步，看了看自己的汽車，還好，汽車車身沒有被毀，大偉又四處看看。

「把駕駛執照交回給我們！」長髮司機說。

「當然！」大偉跳上車：「如果我的汽車能開動的話。」

「我們並沒有碰你的汽車。」

「你們不是仁慈，祇是不敢。」大偉開動汽車掉了頭。

五個長髮青年立刻奔過去：「把駕駛執照交回給我們。」

「我不會要你們的東西，你們走開點，別讓我的汽車撞死你們。」

他們放了手，大偉向占美一招手，占美飛跳上車，在大偉踏油前的一剎那，占美把他們的駕駛執照拋出去。

大偉吐了一口氣。

在香港車多車位少，泊車實在是一件嚴重的事情，每天爲了爭車位而吵架、打架的人，也不知道有多少。

尤其近年來武俠片大行其道，打架之聲處處皆是，香港已成了拳頭世界。

年輕人不滿現實，鬧鬧事，打打架，發洩一下不滿的情緒，所以，示威呀，抗議呀，無日無之。

大偉和占美是年輕人，他們也不例外。

大偉和占美走進課室，就有人告訴他們：「一年級外文系來了一個新生。」

「是嗎？」占美隨便回答。

大偉聳聳肩，一點興趣也沒有。

「喂！你們沒興趣？」佛烈追着說：「她是一個女孩子。」

「我們學校裏有許多女孩子。」

「但是沒有人像她那樣漂亮。」

「怎樣漂亮？」大偉問：「比得上校花？」

「仙杜拉？她可差得遠呢！」佛烈說：「這個女孩子是與衆不同的。」

「怎樣不同？」占美坐下來，托着頭：「打扮得像明星？」

「不，她臉上一點化裝品也沒有。」

「蒼蒼白的女孩子，還會有甚麼好看？」占美攤一攤手：。「你喜歡病態美人，我和占美可不喜歡，現在不是紅樓夢的年代，女孩子要充滿青春活力，才能吸引男孩子。」

「誰說她是病美人？」

「完全不懂化妝的女人，還能稱得上時代美？」

「那是因爲她麗質天生，不用打扮已經夠好看了！」佛烈說：「她整個人，無論微笑走路、站立姿勢、服裝都充滿青春活力。」

「大偉，」占美搭着他的肩膊：「佛烈眼光短小，別聽他的。」

「好！你們不相信就算，你們沒興趣，我去告訴艾廸。」

「叫艾廸去追求她吧！艾廸是情場聖手。」大偉用力搖頭：「我們可用不着！」

大偉和占美走開。

佛烈沒趣，就去找唸醫科的艾廸。

佛烈是一個喜歡向人効勞後討取便宜的人，他在占美他們身上討不到好處，走去找別人賣他的情報。

艾廸在學校裏，也頗出風頭，他是泰國華僑，高高黑黑，聽說還學過泰拳。

占美和大偉，從未和艾廸碰過頭，由於不同系，所以各不相干。

不過，占美和大偉知道艾廸的名氣，而艾廸，也知道他們在學校的名聲。

艾廸領了佛烈的情，他決定去追求那女孩子。

大偉和占美，對女孩子一向不大注意，衹是，他們也各自有女朋友，不過，他們並沒有甚麼眞感情，衹是逢場作戲，玩玩罷了！

第一節下了課，大偉和占美互搭着肩頭走出操場，在操場的一角，大偉和占美，看見艾廸帶來一些人，正在和一個女孩子談話。

那女孩子一身白，把占美和大偉吸引住了！

她披着一頭長髮，亮亮的，黑黑的，貼服地披在肩上，她臉上完全沒有化妝品，可是，並不蒼白可憐，她的皮膚很白，面頰兒微紅，臉是鵝蛋臉，大大的眼睛，直直的鼻子，兩片嘴唇又嬌又俏。

她年歲雖輕，但亭亭玉立，在那件白色的迷你裙外，露出了兩條雪白而修長的玉腿。

她拿着書本，站着，站的姿勢很美妙。

大偉呆了！

占美也呆了！

好一會，大偉忽然想起了問：「她難道就是佛烈說的女孩子？」

「對呀！你瞧，佛烈也在艾廸那兒。」

「可惜！」大偉搖一下頭。

「果然是美若天仙，美極了！我從未見過這樣麗質天生的女孩子。占美，我們把佛烈叫過來，叫佛烈把她介紹給我們。」

「剛才我們把佛烈氣走了，他還會理睬我們？」占美不禁後悔。

「給他一些錢，」大偉說道：「佛烈這個人，見錢開眼。」

占美不置可否，大偉決定這樣做。

大偉等着佛烈回到課室，他一看見了佛烈，立刻笑臉迎人，他挽着佛烈的手，說道：「佛烈，我們談談！」

「談甚麼？」佛烈在捽他的手。

大偉毫不介意，仍然保持他那性感的微笑：「我們談談那剛來的女孩子。」

「你剛才不是說過沒興趣？」

「我現在有興趣了！」

「我可不感興趣！」佛烈昂起了頭。

「噢！我明白。」大偉點一下頭，他由口袋裏掏出一千元，揚了揚鈔票說：「不知道你對這個有沒有興趣？」

佛烈眼一瞪，但是口裏喃喃說：「有興趣又怎樣，錢又不是我的。」

「如果我給了你呢？」

「你給我！」佛烈一伸手，就想去取。

大偉把鈔票收到身後，他說：「別忙，你先要回答我幾個問題。」

「甚麼問題？」

「那女孩子叫甚麼名字？」

「露珊娜！」

「你已經把她介紹給艾廸，艾廸喜歡她嗎？」

「當然喜歡！」

「她喜歡艾廸嗎？」

「那我就不知道，這女孩子，不好應付。」

「剛才艾廸和露珊娜在談些甚麼？」

「艾廸要請她吃晚飯。」

「她答應了？」

「她說要考慮。」

「你可以把露珊娜介紹給我嗎？」

「遲了點吧？我已經把她介紹給艾廸。」

「艾廸有註册專利權嗎？」

「雖然艾廸沒有專利權，不過，惹着了艾廸，可不是好玩的。」

「我給你撑腰，行了吧？」

「雖然你肯保護我，不過……」
「嫌一千元太少了，是不是？我可以多給你一千元。」
「二千？」佛烈想一想：「那……好吧！」
「甚麼時候？」
「要找一個適當的時機，事實上，我和露珊娜也不很熟。」
「由你去安排！」大偉交給他二千元：「不過，你可不要吞了錢算數，我會把你揍一頓，把錢由你的肚子裏打出來。」
佛烈袋好了錢，他說：「我吃了老虎膽也不敢把你欺騙。」
大偉在他背後推了一下，佛烈打了一個踉蹌，可是，袋子裏有二千元，他一點也不生氣。
第二天，大偉、占美、佛烈三個人向校園後的草地走。
在那青草地上，坐着一個穿紫色熱褲套裝、白長靴的女孩子。
她低着頭在看書，長髮遮了她半邊臉。

大偉呆了，占美也呆了！

佛烈却興奮的叫着說道：「快看，露珊娜就在那邊！」

「嚷甚麼！」大偉推他一下：「還不去跟她打交道？」

佛烈連忙走到露珊娜的身邊，他彎下腰，不知道他在跟露珊娜說甚麼話。

露珊娜撥開了長髮，她抬起了頭，看見大偉和占美，她展出了又嬌又甜又嗲的微笑。

占美和大偉的靈魂兒，便飛上了半天。

露珊娜站起來，佛烈和她走過來。

占美和大偉不由自主的迎了上去。

佛烈給他們介紹，露珊娜伸出了手，她的聲音，也跟她的人那樣嬌、那樣俏：「好嗎？」

大偉和占美搶着去握她的手，露珊娜笑一笑，她把書本交給佛烈，然後，她把右手伸給大偉，左手伸給占美。

兩個男孩子，握着她的手不願意放。

頓了一會，露珊娜悄聲說道：「你們握痛了我的手。」

「噢！對不起！」占美把手縮回來。他紅了臉。

大偉也放開了露珊娜的手。

「很榮幸認識妳！」大偉說，他露出了他那性感的微笑。

「我希望能跟妳交朋友！」

「我們現在已經是朋友。」露珊娜點一下頭。

「既然是朋友，我可不可以請妳吃一頓飯？」大偉立刻利用時機。

「我想請妳看戲！」占美說。

「這樣好不好，」露珊娜說，她對男朋友有一套本領：「我們四個人一起去看戲、吃飯？」

大偉不敢反對，但是心裏又不服氣。

「怎麼樣？你們都不贊成？」

「贊成！」占美立刻說道：「大家一起去，熱鬧些。」

「時間呢？」露珊娜輕悄的問。

大偉和占美交換看了一眼，大偉說：「今天晚上，好嗎？」

「好的，今晚八點鐘你們來接我，我住在半山區，環海別墅……」

露珊娜取回她的書本走了。

大偉和占美一直目送她那婀娜娉婷的背影消失。

然後，大偉臉色一板，他對占美提出了警告：「占美，露珊娜是我的，你今晚可以去吃飯，可是從此之後，我不准你再插手！」

「很抱歉！大偉，很不幸，我也喜歡這個女孩子。」占美垂下了頭。

「你也喜歡她？你和我爭？」大偉很生氣的說：「我花了二千元叫佛列給我介紹，你竟然想在我身上打主意？」

「我們是好朋友，本來不應該爲了一個女孩子過不去，可是……」

「你現在還念友情，那末，過了今晚，你就退出。」大偉迫着他道：「別令我們因爲一個女孩子而翻臉。」

占美不作聲。

「你們不要爭。」佛烈從中作和事老：「事實上，學校裏追求露珊娜的人也很多，你們要打倒敵手，就要拿出本領來。」

「都是你不好，爲甚麼今天才給我們介紹？」

「大偉，是你叫我的啊！」

「哼！氣死人！」大偉手一揮，氣憤的走了。

佛烈嘴一歪，也喃喃的罵：「死臭脾氣！」

「他一向是火爆性子，你別怪他！」

「你也火爆性子，可是你肯講理。」

「我也不常常講理，比如這一次，我不會接受大偉的警告。」

「你要追求露珊娜？」

「是的！」占美點一下頭，說：「我一看見她就喜歡！」

「噢！天！」佛烈拍一下頭：「一場龍虎鬥就要展開！」

*　　*　　*

大偉開了他的紅色平治跑車往半山，那時候，才不過七點鐘。

本來，大家約好了八點鐘，但是大偉要搶在占美前頭，把露珊娜接走。

汽車駛近環海別墅，他看見門前附近，已經有一輛大房車。

那不是占美的車。

大偉不在意，因爲，祇要占美還未來，也就甚麼也不害怕。

大偉的汽車開過去。忽然有人迎着車子走過來，他伸開大手叫道：「停車！」

大偉不能撞死這個人，他停了車，心裏好生氣：「爲甚麼停車？戒嚴？檢查？」

「艾廸要見你！」

「艾廸？……」

艾廸已和幾個人走了過來。

一看見艾廸，大偉已經知道，那是怎麼一回事，大偉連忙把跑車倒後駛過一邊，然後他由車上跳了下來。

艾廸向他走過去。

他向大偉上下打量，咧着嘴輕聲蔑笑：「紅色喇叭褲，白色寬皮帶，白底紅圈子皺布窄身襯衣，一副男模特兒的架子！去會佳人？」

「關你甚麼事？」大偉又起了腰。

「爲甚麼不關我的事？你去會的佳人，是我的女朋友。」

「你說露珊娜？嗤！」大偉不屑的說：「我就沒有聽露珊娜說過有你這樣的朋友。」

「做人要講義氣，你明知道，我早已交上了露珊娜。」

「你早已交上了又怎樣？她答應嫁給你？」

「你不插手，她遲早會嫁給我！」

「遲到哪一天？十年？二十年？」

「大偉，」艾廸臉一板：「別以爲手底下有點功夫，就可以亂來，我這兒人多，你始終要吃虧，我現在來警告你，不准你去找露珊娜。」

「有本領就去追露珊娜，有本領叫她嫁給你。艾廸，別煩我了，你想管我，你還沒有這份本領。」

「你不接受我的勸告？」

「你的勸告毫無理由，」大偉聳一下肩，說道：「你去追你的，我去追我的，每個人都有自由，你管不着。」

「你瞧瞧我是否管得着？」艾廸手一揮，說：「打！」

連艾廸在一起，六個人全撲了上來。

大偉和艾廸雖不甚了解，可是，大家是同校同學，大偉當然知道，艾廸他們並非全無打架經驗、完全沒有功夫之人，因此，以一搏六，雖然大偉亦深知，他的武功在數人之上，不過，畢竟寡難敵衆，因此，他把腰間皮帶解下，往後一抽，那條皮帶不祇是裝飾品，並且可以做武器。

艾廸他們撲身而上。

大偉揮動着皮帶，那條本來是軟質的皮帶，可是，在大偉運勁使用之下，竟然變成了一條像鋼鐵一般硬。

大偉用力揮動着皮帶，把那些接近他的人，打得皮破體傷，而大偉的兩條腿，也靈活迅速無比，艾廸就給他硬生生的踢了一下胸口。

正如古代武俠小說所說，彼此大戰了數回合，艾廸和他那些跟班已被打到遍體鱗傷。

就在大偉和艾廸他們激烈而戰之時，占美開車而至。

他看見大偉和人打架，曾經停了車，準備加以援手，他看了一會，就知道大偉已能控制局面，因此，他就不想浪費時間，把汽車駛進了環海別墅。

他泊好了車。

按址到達露珊娜的家。

傭人開門讓他進去，露珊娜由屋子裏走出來，她穿了一套全身粉綠色熱褲套裝，外披一件白色密實背心，白皮靴。

她仍然散着長髮，臉上雖然不施脂粉，可是皮膚光潤潔白，眼睛烏亮而嘴唇潤紅，一副天生麗質的樣子。

「怎麼就祇你一個人？」露珊娜歡迎着說：「大偉和佛烈呢？」

「佛烈不來了，我和大偉是分別而來的。」

「八點鐘了！大偉還不來？」

「我看他早到來了！我剛才來的時候，看見他和人家打架。」

「打架？怎麼又惹事了？」

「看情形，與他無關，顯然是他來的時候，受到別人的襲擊。」

「我們這兒一向清靜，誰會襲擊他？」

「是艾迪和他的一些人，是他們惹事的，我看得出。」

「唔！對了。」露珊娜點一下頭：「艾迪七點鐘的時候來看過我，他要請我去吃飯，我拒絕了，一定是他找大偉的痲煩。」

「這個人，一向不講理。」

「艾廸帶了許多人來，他們幾個人打大偉一個，那怎麼行？會把大偉打死的。」露珊娜站起來：「我要去制止他們！」

「不用了，大偉會把事情應付過來的。」

「甚麼？」露珊娜有點不相信：「他一個人能打五、六個？」

「唔！」占美很有信心的點一下頭：「等會兒他就會來。」

露珊娜跑出露台去看，她左右的望，却看不見有一個人，或者一部汽車。

露珊娜回過頭，對屋子裏的占美說：「哪兒有大偉？」

占美聞聲走出來，他看了看便說：「戰爭結束了，大偉很快來了！」

占美話還未完，便有人按鈴。

露珊娜跑出去開門，他看見大偉，悠閒地站在門口。

「你沒有事吧？」露珊娜關心的問。

「我沒有事。」大偉輕鬆的說：「露珊娜，妳眞美。」

露珊娜臉上一陣微紅，她說：「剛才占美告訴我，艾廸和你打架。」

「占美？」大偉皺一皺眉，占美已由露台走了出來。

「哼！你竟然乘我打架，搶先來會露珊娜。」

「我沒有搶先，我是準時來的。」

「隔岸觀火，看我打架？」

「不，我本來想助你一臂之力，可是，我看見你的氣力雄厚，一個人足能應付，所以，我沒有加入戰圈。」

「唔！」大偉怪裏怪氣的點一下頭：「說得眞好聽。」

「是眞的，大偉，占美一直很關心你。」露珊娜連忙說。

大偉看了占美一眼，心中很不高興露珊娜幫占美說話。

露珊娜道：「我們去吃飯了吧！還要去看九點半鐘的戲！」

「坐我的汽車！」大偉搶先說。

占美望住露珊娜，懇求着。

露珊娜笑着，搖一下頭：「我自己開車，這樣公平些。」

大偉沒有說話，占美也很滿意。

由於露珊娜有辦法，一個晚上，倒是過得十分愉快。

不過，這祇不過是開始，由那一天，大偉和占美，就展開了龍爭虎鬥。

大偉搬去了另一個宿舍，不肯再和占美同住在一起。

他們已不再是好朋友，雖然，見了面，大家還會打一個招呼。

他們的分開，立刻有不少人圍攻上他們，分別做了大偉和占美的跟班。

大偉和占美是闊少爺，和他們在一起，總可以佔取一點便宜。

另有些唯恐天下不亂之人，爲了討好自己的財神爺，直是無中生有，挑撥是非。

卜比就是這樣的人。

他走進大偉的宿舍，討好着報告：「占美又和露珊娜約會了！」

「眞氣人！」大偉捶一下桌面。

「剛才我進來的時候，看見占美的兩個人在說話，我想知道他們在說些甚麼，就躲起來偷聽。你猜他們在說甚麼？」

「沒興趣！」

「他們在說露珊娜。」

大偉的興趣立刻來了，他連忙問：「他們在說露珊娜甚麼？」

「他們說……」卜比把話又吞回去了：「我不敢說。」

「怕甚麼？」

「怕你生氣。」

「快說，我要你立刻說！」

「他們說你比不上占美英俊，比不上占美高，比不上占美有型，他們還說，占美已經想好了一個方法對付你，占美一定要把露珊娜據爲己有。」

「豈有此理！」

「他們還說，要打斷你的腿，因爲你的連環腿厲害！」

「哼！」

「他們說，單是占美一個人，就可以把你打到躺在地上，爬不起來！」

「哼！」大偉跳起來：「我現在就去揍占美一頓，看誰爬不起來！」

「大偉，你不要動氣，你也不要親自出面，衹要派我們幾個弟兄搞掂他不就行了？」

「你們不是占美的對手。」

「明手明來，也許我們打不過他，如果我們弄些小計，他一定會栽在我們手裏。」

「你有甚麼妙計？」

「我們約他到一處僻靜的地方會面，他一定會一個人來，我們和他說話時，出其不意，向他撒一把胡椒粉，他傷了眼睛，就打不過我們。」

「那不好，太狠了，我們過去，畢竟是好朋友，他瞎了眼睛，這一輩子怎樣過？」

「在利害關頭，還顧得了別人？」

「不，」大偉指住他：「我不准你用這種毒計，你大不了向他撒一些麵粉，那不會對他有太大的傷害，祇要他視綫不好，你們或許有機會取勝。」

「我……」卜比不服氣。

「別背着我做壞事！」大偉指住卜比：「教訓他一頓也好，但是祇准撒麵粉，知道嗎？」

卜比無可奈何的說：「知道了！」

「多帶幾個人去，要是把他打倒了，你們祇告訴他，不要惹我大偉，我不是好惹的！」

「我知道了！」

「去吧！」

＊　＊　＊

占美接到由大偉署名發出的信，要占美下課後，六點鐘左右，在學校的樹林子裏見面。

占美並不懷疑有甚麼陰謀，過去，他和大偉是好朋友，現在爲了露珊娜，他們幾乎已經成爲仇敵，如今，如果大家平心靜氣的解決，大概可以找到一個解決的方法。

所以，占美也沒有準備帶助手，可是，他的那些新助手，却認爲事情不簡單，何文說：「恐怕會有甚麼陰謀！」

「會有甚麼陰謀？我們過去又不是沒有見過面。」占美一笑置之。

「以前你們是好朋友，見面當然不必提防，可是，現在爲了露珊娜，已經由友成仇，要是他眞的想見你，他爲甚麼不來宿舍找你？」

「也許他以爲來找我，有失面子。」

「無論如何，你不要一個人去！」

占美道：「你要我多帶人去，你以爲大偉會帶人來打我？」

「哼！這就很難說，爲了提防萬一，我們幾個人也跟去。」

「萬一大偉祇有一個人去，那會惹起大偉的性子的。」

「這樣吧！占美。」他的謀臣說：「我們不出面，暗中躲起來，如果大偉要是一個去，那末，你和他單獨談好了，如果他帶了人，而且你們又衝突起來，這樣我們就不客氣了！」

「這樣也好，就照這辦吧！」

到約定地點，五點三刻，占美已經在等候着。

六點正，卜比一個人到來。

「大偉呢？」占美知道他是大偉的人。

「大偉有事，不能來了，他派我做代表。」

「代表甚麼？」

「代表談判。」

「談判甚麼？」占美有點不高興：「我和大偉是好朋友，爲甚麼要派代表？」

「那是過去的事，現在，你們已經是情敵了！大偉叫我來告訴你，露珊娜是他的，由今天開始，你不能再接近她！」

「大偉知道，這是不可能的，他愛露珊娜，我也愛露珊娜，我們都有同等的權利，大家可以追求她，這要看誰的本領高，並不是要鬥武力。」

「我們不管這些，總之，露珊娜是大偉的，你不能再和她在一起！」

「你回去告訴大偉，我們私自談判是沒有用的，應該問一問，露珊娜到底喜歡誰？」

「露珊娜當然喜歡大偉，如果不是你從中作梗，露珊娜已經答應了大偉的求婚。」

「是嗎？那我倒要問問露珊娜。」

「你既然那麼倔强，我也不想勉强，大偉有一封信交給你，你仔細看看！」

卜比手一揮，一個叫盧保的男孩子走過來。

他走得很快，一到占美身前，占美還來不及問，突然盧保把手中一包東西撒向占美。

占美驚叫着，打着退步，那時候，盧保身後又來了幾個人，他們圍住占美便打。

那些躲得較遠的占美的助手，他們連忙趕過去，有兩個人把占美救出來，其餘的人，都去對付卜比他們。

占美用手帕抹着臉，眼睛視綫，是受了障礙，可是，他還能夠睜開眼睛，他說道：「可以給我一點水嗎？」

「那邊有水。」羅斯指了指樹後一個小瀑布。

占美連忙走過去，洗了一把臉，他已經可以看清楚事物，他飛跳進戰圍，拉起卜比便打。

卜比哪兒是占美的敵手，卜比在占美一輪進攻之下，他已經成了一團棉花。

那些跟他來的人，也慌了手脚。

占美一手揪起卜比，他大聲叫：「停手！」

一衆人立刻停住了！

占美指一指卜比說：「把這隻狐狸帶回去，告訴你們的頭兒，我會找他。」

占美把卜比向前一推，卜比就倒在地上。

幾個人去扶他，相扶着飛奔跑了！

「占美，這一次我們沒有來錯吧！」羅斯說。

占美道：「謝謝你們，否則，我眞要被他們打得半死呢！」

「他們是這樣的下流，一定是大偉早已安排好了的！」

「我要責問他，我要打他！」占美憤怒地，揮動着拳頭。

第二天，占美氣沖沖的去找大偉，他一看見大偉就說：「想不到你變得這樣卑鄙。」

「我怎樣卑鄙了？好朋友！」

「你暗算我，還說不卑鄙？」

「你說的是昨天的事？不錯，他們是向你撒了麵粉，可是，你並沒有受傷害，而且，你差點把卜比打死了，你知道我花了多少醫藥費？」

「這個我不管，誰叫他來惹我。」

大偉恨恨說：「是我派他去的，是我想教訓你，因爲你太狂了，你不單止要對付我，而且，還要打斷我兩條腿。」

「這話是誰說的？」

「當然是你說的。」

「見鬼，我根本沒有說過！」

「用不着否認了，如果沒有事實，人家也不會說，不過這一次，我們也是拉平了，武鬥應該結束，因爲我不想再有人受傷。」

「你們不來找我麻煩，我也不管你們。其實，你打倒我，或殺了我，那又有甚麼用？如果露珊娜不喜歡你！」

「露珊娜會愛我的，她本來就愛我，是你自己不自量，不過，我們也不用爭，一切應該由露珊娜自己決定！」

「這就對了，我們可以各出奇謀，鬥智比鬥武有意思！」

「你不要自鳴得意，也不要以爲你會比我强，走吧！我不想再見你！」

其實，占美和大偉本來就有心病，實在也無話可說。

＊　＊　＊

這是一個重大的日子，大偉和占美的心上人生辰來了！

大偉要爲露珊娜開舞會，占美也願意爲她個人効勞，露珊娜爲免他們爭，她終於拒絕了！

她要在自己的環海別墅，開一個盛大的舞會，因爲，她已經二十歲了。

大偉和占美都做不成男主人，於是，他們就另外想辦法，一定要討好露珊娜。

大偉一個人在想：露珊娜生日，我當然要送禮，我送甚麼好呢？

要顯自己闊綽手段，此其時了。

他和占美，已經試過了武鬥，現在，該輪到錢鬥了。

他要送露珊娜一件名貴的生日禮物。

另一方面，占美也爲自己安排好了！

他要給露珊娜一個深刻的印象。

這一天，環海別墅可熱鬧，露珊娜家當然擠滿了人，就是樓下的停車場，也停放了不少名貴的私家汽車。

露珊娜穿了一襲淺粉紅色的晚禮服，長髮上，插了一朵淺紅色的玫瑰花。

露珊娜明艷極了！

大偉和占美，到得極早。大偉穿了銀紅色晚禮服，占美那一套是黑色的。

大偉一看見露珊娜，除了向她道喜之外，並且還要把生日禮物送給她。

他們正在說話，門鈴響了。

傭人來請小姐。

「對不起！又有客人來了，你等會兒。」

露珊娜出去了，大偉在露台上，把伸進口袋裏的手拿出來。

原來來的是占美，占美對露珊娜恭賀說：「祝妳身體健康，永遠美麗！」

「謝謝！你來得眞早！」

「我第一個來？」

「第二個！」

「大偉一定已經來了！」

「你眞聰明！」露珊娜笑着點一下頭：「大偉在露台上，我們一起進去。」

「露珊娜，我想先把生日禮物送給妳！」

「謝謝！」

占美把一隻四方盒子交給露珊娜。

「小小禮物，不成敬意。」

「一條羽毛，也是你的心事。」

「解開它，看看喜歡不喜歡！」

露珊娜很洋化，當着客人解開了禮物。

「噢！多美！是一隻翡翠別針。占美，用了你很多錢吧？」

「也不算多，這不是完美貨式，才祇不過二萬八千元。」

「二萬八千元不算多，占美，替我別在襟上。」

占美見露珊娜喜歡，他就開心了，連忙把別針扣在露珊娜指定的地方。

走進客廳，占美說：「妳先去找大偉，我想喝杯水。」

「我吩咐僕人。」

「你去吧！那邊桌上，不是有鷄尾酒？」

「我們是好朋友，不用客氣，請隨便。」

占美點一下頭。

露珊娜走出露台，大偉已經等悶了，他一眼看見露珊娜胸襟的別針，也有點兒妒忌，他問：「誰送的生日禮物？」

「占美。很名貴！」

「原來是他！」大偉忽然笑一笑，笑得很神秘，也有點兒沾沾自喜。

大偉把一隻紅色的飾盒拿出來，放在露珊娜的手上：「生日禮物！」

「這又是甚麼？」露珊娜好奇地打開了盒子，她叫了起來：「噢，一隻寶石戒指！」

「喜歡嗎？」

「喜歡。但是我不能要！」

「爲甚麼？」大偉失望又緊張。

「因爲，我仍是不可以隨便接受人家的指環，除非和那人訂了婚。」

「我絕對沒有這個意思，祇不過把它當作一份禮物，收了它吧！又不是甚麼名貴東西，才祇不過四萬多元。」

「四萬多，還不算貴？」

「小姐，妳不會從未見過這樣的飾物吧？何必介意。」大偉眞擔心露珊娜不肯要他的禮物：「我保證今晚不會向妳求婚。」

終於，露珊娜把戒指戴上了。

大偉看了看占美的胸針，他勝利地笑了！

在這方面，大偉是佔了優勢，他家中有錢，手段又闊綽，而且，他實在也太愛露珊娜。

「我們到客廳去，陪陪占美。」

「我喜歡這個露台。」

「你坐會兒，我進去看看，我有幾個好朋友，會早點來。」

大偉點一下頭，他很開心，因爲，露珊娜肯接受他的禮物，顯然，露珊娜也喜歡他。

「露珊娜！」大偉把走了的露珊娜叫住：「今晚，我要做妳的舞伴。」

「今晚不行啊！我做主人，一定很忙，未必有時間跳舞。」

「我怎麼辦？我請妳跳第一個舞，行不行？」

「好吧！你第一個問我，我就和你跳第一個舞。你不用擔心，你一定會找到舞伴，今晚的女孩子有很多。」

露珊娜走出去，占美立刻向前迎，他說：「露珊娜，我請妳跳今晚第一個舞，行嗎？」

「對不起，占美，剛才大偉已經約了我。」

「呀！」占美有點失望：「我請妳跳第二個舞，好嗎？」

「好的！」露珊娜爽快地答應了！

那時候，有幾個女孩子，打扮得花枝招展的進來了！

「占美！」露珊娜說道：「你幫幫我的忙，招呼客人。」

她一面走出露台，也去拉大偉。

於是占美和大偉，都做起招待員來了。

艾廸他們全部來，不過他們已經不敢再鬧事，大偉已打怕了他們。

這個舞會特別熱鬧，除了人多，女主人有兩個男主人，也是原因之一。

有許多人爲女主人拍照，大偉和占美，都分別和女主人拍了幾張照片。

在切生日餅的時候，他們也在露珊娜的右面和左面。

每一個人都知道大偉和占美追求露珊娜的，因爲，大偉在學校一向出風頭，占美也是很出人頭地的，再加上露珊娜漂亮出衆，他們三個人在一起更加引起了人們的注意。

大偉和露珊娜跳第一個舞，大偉一向跳舞很有心得，身輕，花式多，碰巧遇上露珊娜也擅長跳舞，於是，兩個人配合得好極了，露珊娜也跳得很開心。

跳完第一個舞，大家高叫「安哥」，於是在衆人要求下，露珊娜和大偉，一連跳了三個舞。

到第四個舞，才輪到占美，占美也會跳舞，不過，跳起來，就不夠大偉好看了！

所以，大偉今晚，可以算得上是出盡了風頭，露珊娜戴上了他的戒指，而且，他又受到全場的讚美，他實在太開心了。

相反的，占美就處於下風。

因此，露珊娜的舞會，大偉極開心，而占美，可就不大愉快了。

第二天，露珊娜約了大偉和占美一起去游泳。

大偉不想和占美一起去，占美也不想和大偉一起去。

但是，美人有命，如果誰不喜歡去，祇有自己退出。

又有誰那麼笨，肯自動退出。

因此，他們祇有乖乖的赴約了。

露珊娜已經換了一件橙色格子的，三點式游泳衣了。

露珊娜的身材，標準極了，雪白的皮膚，修長的腿，小小圓圓的腰，似乎無處不美。

占美和大偉一起換泳褲，占美看了大偉一眼說：「個子那麼小，那麼瘦；我勸你不要出去獻醜了，還是穿上一件衣服，曬曬太陽吧！」

「甚麼？」大偉挺起了胸膛：「我這樣子，有甚麼不好看？」

「隨便你吧！我是一番好意。」

大偉想了想，他終於還是穿上一件淺綠色的毛巾衣。

他一直留心占美，發覺他的身體很健美。

「這一次，我恐怕會鬥不過他了！」大偉自言自語。

占美一換了紅色泳褲就走了出去，他找着了露珊娜。

大偉一直縮在一角，他盡量逃避着。

露珊娜濕淋淋的由水上上來，她問大偉：「爲甚麼不下水？」

「今天，我好像有點不大舒服。」

「不舒服？」露珊娜立刻體貼、關心的問：「哪兒不舒服？」

「肚子痛！」大偉胡亂的說謊道：「眞的是肚子痛。」

「你既然不舒服，那你不用留下來，你先回家去，這兒有占美陪我。」

那才夠大偉驚，他無論如何，不肯讓占美佔上風，他也不能走，因此他說：「我休息一會就沒有事了，現在，也不怎樣痛，不過，也許我今天不能下水的了！」

「那沒關係！我們多游一會，你休息一下，很快就可以去吃午飯。」

大偉本來想看住露珊娜，可是，露珊娜對游泳這樣有興趣，他又不敢掃她的興。

祇有眼巴巴的，看住占美和她親熱。

大偉氣極了，昨天還好，他完全佔了上風，想不到今天露珊娜要游泳，那正好給了占美一個好機會。大偉雖然不是排骨王，可是和占美一比，他立刻會比下去。

大偉是不甘屈居人後的。

這一天，他也夠悶的了，可是，占美却很開心。

「我從小就喜歡游泳，冬天我一樣下水，不過，你的泳術比我更好，我們可以算是志同道合。」

「可惜大偉不懂游泳，他不能陪妳開心。」

「他也不是不懂游泳，祇不過，他今天有點兒不舒服。」

「不舒服？剛才來的時候，不是好好的嗎？怎麼忽然間……」

「他肚子痛，肚痛是突然而來的，也不輪到你選時間。」露珊娜很維護大偉。

「我認爲大偉並非肚子痛，他身體一向好，怎會肚子痛？他是……」
「你這樣說，就令人不服了，身體壯的人，就不會肚子痛嗎？」
「不過，今天大偉完全不想游泳，他怕自己的身材不好。」
露珊娜道：「如果眞的是這樣，那他就傻了，游泳是一種享受，並不是表演身材，不過，我仍然相信他肚子痛。」
露珊娜這樣護着他，占美也無話可說了！
到去吃午飯的時候，大偉穿上他那條紫色喇叭褲、紫色背心和白色長袖襯衣的時候，他又顯得很有神采了。
「怎樣？」露珊娜摸着他的手問：「現在已經肚子不痛了？」
「不痛了，我早就說過，一會兒就沒事了。露珊娜，妳已經和占美玩了半天，應該坐我的汽車進市區了吧？」
「好的！」
大偉見占美還沒有換好衣服出來，他立刻利用這片刻的機會：「露珊娜，明天晚上，我們單獨去玩一晚，好嗎？」

「好的。剛才占美也約了我星期六。」

「每人一天，很公道！」

露珊娜道：「其實，我希望三個人一起玩，人多就熱鬧些。」

「我不喜歡占美，他也不喜歡我！」

「你們以前是好朋友呢！」

「那是過去的事了，自從認識了妳，我們已經不再是知己，或許，應該說是仇敵。」

「我眞難過，好好的一雙朋友，爲了我而反目，我眞想退出你們的圈子。」

「甚麼？妳想不和我們來往？」

「那有甚麼辦法？除非，你們不要再鬥爭下去，否則，我寧願和艾廸，或者米高交朋友。」

「那怎麼可以？我們前功盡廢了！」

「你們聽我的話，仍然維持過去的友誼，就算不做好朋友，也應該大家客客氣氣。」

「我們是很客氣的啊！瞧！占美來了！」

他們把話收了回去，大夥兒去吃午飯了。

* * *

吃過晚飯，大偉開了他的跑車，和露珊娜到海邊談天納涼。

露珊娜看了看墨黑的天空，她說：「今晚的月亮很圓，星星也很多。」

「是一個美好的晚上。」

「你能數天上的星星嗎？」

「數之不盡。」

「我但願是天上的一顆星星。」

大偉道：「如果是星星，妳應該是最大最光亮的那一顆。」

「你常常用這樣的話去讚美女孩子？」

「我沒有讚美過女孩子。」

「你以前沒有女朋友？」

「唔！」大偉點一下頭。

「可是，有人告訴我，你和占美，以前都有不少女朋友。」

「如果因爲她是個女人，就當她是女朋友，那末，我沒話說。」

「你沒有要好的女朋友？」

「沒有，一個也沒有，我和占美都沒有；我偶然也和女孩子玩，但我從未愛過她們。」大偉把他的手，搭在她的肩上：「我祇愛妳一個，露珊娜。」

「大偉，你的手搭在我的肩上，那是我的肩，不是你的肩。」

「我知道，我不單祇要搭妳的肩，而且，我還要吻妳。」

大偉是一個敢作敢爲的人，而且顯得多情，他很大膽，他說着，就用力把露珊娜抱進懷裏，並且熱情地吻了她。

最初，露珊娜是用力掙扎，後來，她終於軟化下來了。

一會，露珊娜輕輕推開了大偉。

大偉喘着氣問：「露珊娜，告訴我，愛我嗎？」

「我不知道！」

「我今晚約妳出來，是特地向妳求婚的。」

「唔……」

「我希望你答應我！」

「這……」

「戒指我已經帶來了，是媽媽買給我的，一共五卡拉，值二百萬元。」

露珊娜沒有接過戒指，她想着。

「露珊娜，親愛的，妳答應我吧！」

「大偉，我現在很難一口回覆你，因爲除了你，還有占美。」

「原來你愛的祇是占美。」大偉眉一皺很生氣。

「你們兩個我都歡喜，因爲你們各有好處，因此，一時之間，我還不能決定。」

「占美有甚麼好，也對妳不夠眞心。」

「我認爲他對我也不錯，而且，我覺得他對我是誠懇的。」

「這樣說，占美的希望當然比我高。」

「這也不一定，前幾天，占美也向我求過婚，如果我祇愛他，那末，我早就答應他了，何必要等到今天？」

「原來占美已經向妳求婚。」大偉喃喃自語：「這小子……」

「別洩氣，雖然我不可以一口答應你，但是，我也沒有拒絕啊！」

「妳甚麼時候才可以回覆我？」

「我要考慮。」

「我希望，妳先考慮我。」

「我會的。」

* * *

月兒移動着，雲蓋過了它。

夜是那樣寂靜！

露珊娜和她的好朋友安安坐在露台上聊天。

「露珊娜，妳好福氣，大學裏兩個最好的男孩子，都在追求妳。」

「孟加不是也在追求妳嗎？」

「他算是甚麼？」安安哼了一聲：「和大偉、占美一比，簡直是相差一萬八千里。」

「我告訴大偉和占美去，說妳喜歡他們，希望他們其中一個向妳追求。」

「妳千萬不要。」安安猛搖着手：「他們怎會喜歡我？我才沒有那份條件，妳說了，人家以爲我發神經。」

「妳也不錯嘛！」

「還說呢！單眼皮，大嘴，哨牙。」

「單眼皮夠俏，嘴大性感，千金難買假哨牙。」

「給妳這麼一說，我成了美人兒啦！」安安開心的笑了起來。

「年輕的女孩子，沒有一個不美麗，每個人都有她的優點。」

「所有的優點都集中在妳的身上，怪不得大偉和占美死命追求妳！」

「這才痲煩呢！」

「是好命，別太不滿足！」

「我眞感到煩惱，大偉和占美都向我求婚，妳叫我應該答應誰？」

「喜歡誰，就答應誰。」

「我兩個都喜歡，怎麼辦？」

「那末，妳嫁給他們兩個。」

「死鬼，怎可以一女配二夫！」露珊娜打安安。

「妳思想太古老了，現在是二十世紀末期啊！做人應該追上潮流。」

「就算我肯嫁給他們兩個人，他們也不會肯，妳不知道，他們鬥得很厲害。」

「那末，妳不要三心兩意，決定要一個，不要的那一個，妳就送給我。」

「最麻煩的是，我兩個都喜歡！」

「妳這個人眞麻煩，我倒不相信，兩個人都一樣好！」

「是眞的，他們各有千秋。」

「這樣，就祇有用抽簽的方法。」

「抽簽？」

「像舞會抽獎一樣，一張紙寫嫁，一張寫不嫁，或在紙的一邊寫上他們的姓名，妳抽中哪一個就嫁哪一個。」

「安安，妳作反了，婚姻大事，怎可以這樣兒戲？妳以爲是買一把菜。」

「這又不行，那又不行，我沒辦法了。」

「我很想考驗一下他們。」

「怎樣考驗？」

「肺病！」

「肺病？誰患了肺病？」

「沒有人患肺病，我祇不過試試他們，如果他們不是眞心愛我，他們知道我患了不治之症，他們一定不會再追求我。」

「這也是好方法，露珊娜妳眞聰明。」

「明天，我要妳給我幫一個忙，行嗎？」

「行！妳隨便吩咐！」

「明天早上，妳開車來接我上學。」

「妳的汽車壞了？」

「妳這個人，怎麼這樣死心眼，我要考驗他們，妳忘記了？」

「噢，是的，考驗他們。好，我明天一定來接妳這位垂死的人。」

「小鬼……」

* * *

大偉和占美，分別來接露珊娜上學，傭人說安安小姐一早來把她接去了。

大偉和占美，立刻回學校去，在學校的花園草坪之旁，他們看見安安扶住露珊娜，露珊娜好像熬了一個通宵，很憔悴。

「露珊娜！」大偉和占美不約而同的追上前，他們都關心的問：「妳沒事吧？」

「我……」

「她……」

露珊娜看了安安一眼，不准她把話說下去。安安吐了吐舌頭忍住了。

「我沒有甚麼，你們不用擔心，我祇不過有點不舒服。」

「我陪妳去看醫生！」占美立刻說。

「不，我把醫生請來。」

「謝謝你們！我已經看過了醫生。」

「醫生怎樣說？」他們忙着問。

「醫生說……」安安衝口而出。

露珊娜又盯了她一眼，她說：「醫生說我沒有甚麼事，你們不用擔心。」

「可是，妳的精神很差！」

「爲了安全起見，我陪妳看醫生。」

「不，不，」露珊娜忽然害怕起來：「我不要看醫生，我不能看醫生了！」

「你們別理她，醫生說她不能受刺激。」

「露珊娜……」

「送妳回家休息好不好？」

「不，上了這一課我才回去！」

「露珊娜，我扶妳回課室休息好嗎？」

「好的，謝謝妳！」

露珊娜和安安進課室，大偉和占美交換看了一眼，他們心中都有疑問。

進課室，安安忍不住笑了起來。

「別笑，認眞一點！」露珊娜提醒她：「他們都不是儍人！」

「我知道了，垂死的人。」

安安借故走出去，她剛走出課室，立刻就給大偉和占美截住了。

「安安！妳知道露珊娜患了甚麼病嗎？」大偉和占美問道。
「當然知道了！」
「告訴我們，好嗎？」
「告訴你們？不，太危險了！」安安作狀地搖着頭。
「爲甚麼危險？祇不過說一句話。」
「那當然有危險了，第一，露珊娜不准我告訴你們；第二，露珊娜的病，好可怕！」
「她到底有甚麼病？」占美很着急。
「一定要我說嗎？」安安壓低聲音問。
「說啊！安安，告訴我，我送妳一隻大狗熊。」
「我也送妳一個洋娃娃。」
「有這麼多禮物。」安安咬住手指：「看樣子，我再也不能保守秘密了！」
「說吧！」

安安看了看課室，又咬了咬指頭，她終於無可奈何的說：「露珊娜有肺病！」

「有肺病？」占美在懷疑：「她那麼强壯，不會吧？」

「你沒有看見她今天面色多難看？」

「有肺病有甚麼奇，」大偉聳一聳肩：「爲甚麼要瞞我們？」

「因爲她怕你們知道了，會避開她。」安安加重語氣說：「肺病是會傳染的。」

「一百幾十年前，肺病是不可藥救，現代科學昌明，肺病根本不驚人。」

「我也不怕她傳染。」占美道：「我們堂堂男子漢會害怕嗎？」

「對了，更厲害的細菌我們也不會怕。」

「你們眞不嫌棄露珊娜，那太好了，我立刻去告訴她。」

「叫她出來，大家談話。」

安安走進課室，露珊娜立刻緊張地走前去：「怎麼了？」

「沒希望！」

「甚麼？」

「前功盡廢！」

「他們……」露珊娜難過地說：「都嫌我有病，不肯要我？」

「正好相反，他們都不在乎，甚麼新時代，科學昌明，肺病根本不是一回事。」

「妳嚇死我了！」露珊娜鬆了一口氣。

「完啦！白費心機。」

「這還好！反正是證明了他們兩個人，都是眞心愛我的。」

「愛妳也沒有用呀！一女不能配二夫，妳自己又沒有主意。」

「不用怕！我可以另外想辦法。」

「想甚麼辦法，要是他們知道妳裝病，以後，妳想弄計，也沒有人會相信。」

「我當然不會被他們識穿！安安，幫幫忙，妳扶我出去！」

「出去幹甚麼？」

「做善後工作啊！妳祇要依照我的話就行了……明白麼？」

安安又小心地，扶着露珊娜出來。

露珊娜看見大偉和占美，立刻別轉了頭。

大偉繞到她的面前，他用手抬起她的下巴：「妳怕甚麼？如果這兒不是學校，我眞要吻吻妳！」

「難爲情！」安安啐了一口。

「肺病並沒有生命危險，祇要多休息，爭取營養，就不用怕了！」占美也挽着露珊娜另一隻手：「我陪妳去看醫生。」

「我陪妳看，祇要接受打針吃藥，擔保妳兩個月內，就會比以前更健康。」

「謝謝你們！」

「露珊娜！」安安忽然插嘴說：「大偉和占美都說得好，妳昨天看的那一個，是個黃六醫生，誰知道他有沒有弄錯！」

「他雖然不是名醫，不過……」

「叫大偉和占美介紹一個好醫生給妳，再詳細檢查。」

「我去！」大偉搶先說道：「我帶妳去見我的家庭醫生，他的診所裏，甚麼儀器都有，妳可以照照X光。」

「這……」

「去吧！」占美站在大偉那一邊：「大偉的家庭醫生，的確很不錯！」

「快走吧！索性照一次肺！」安安推着她。

「安安，妳要替我請假。」

「得啦！別像新娘子上花轎，老是說不完，你們快去吧！」

* * *

露珊娜被證明身體健康，大偉和占美對她的追求更激烈。

大偉家和占美家，都派了人去說親。

露珊娜的父母可忙了，今天來這個媒人，明天來那個媒人。

露珊娜的母親馮太太可忍不住了，她說：「孩子，妳是怎麼搞的？一連兩個男孩子來求婚。」

「媽咪，爹哋！他們兩個一起來追我。」

「一千個追求妳沒關係，可是，妳應該選擇其中一個。」

「我就是決定不出來，我兩個都喜歡。」

馮先生笑了起來，他問女兒說：「花多眼亂，無法取捨？」

「唔！」露珊娜點一下頭。

「既然妳這樣沒有用，沒有主見，就媽媽替妳選吧！」

「媽咪，妳……」

「約他們明天來吃晚飯，我和妳爸爸落足眼力，由我們去決定。」

「說不定你們各人喜歡一個呢？」

「那就由妳作最後決定了！」

「眞麻煩，少一個就好了！」

「妳這個人就是慈心，忍痛放棄一個，不就行了嗎？」

露珊娜道：「並不是我不放棄他們，是他們不肯放開我呀！」

「麻煩，幸而我們祇有妳一個女兒，妳的哥哥們交女朋友從來沒有要我們兩老傷過腦筋。」

「太太，妳應該高興，有那麼多人喜歡妳的女兒，這證明妳的女兒漂亮迷人！」

「嘿！你這個爸爸！」

「我說錯話了？女兒那麼漂亮，還不是有一個美麗的媽媽。」

「油嘴！」

馮先生夫婦在打情罵俏，露珊娜連忙回到自己的房間打電話。

她分別通知了大偉和占美。

大偉和占美，都很緊張，第一件事，就是去理髮了。

他們都有一頭貼服、不太長的新潮頭髮，他們也一直保養得很好。

大偉並且立刻去做新衣。

占美是隨便一點，不過，他的衣服也不少，宿舍放滿了，家裏也放滿了。

他就是不敢穿熱褲和那些密實外套，這一點，他就比不上大偉新潮。

第二天，下午七點鐘，大偉第一個來了，他總是早到搶第一個機會。

他穿了一套金咖啡色的西裝，雙襟的，裏面是一件淺金色花邊襯衣，配上一條代替領帶的金咖啡色絲帶。

脚上是一對咖啡色鱷魚皮鞋。

馮太太由頭到脚看他，她很欣賞大偉在衣服上的考究。

大偉拜會過世伯、伯母，他就把禮物拿出來，他送給馮太太的，是一件價值近萬元的衣料，馮先生是一個鑲金的名貴烟斗，露珊娜有一條鑲了一個鑽石扣的白金項鍊。

馮太太很高興，把大偉拉下來坐。

「伯母，聞名不如見面。」

「甚麼？」

「令嫒曾經告訴我，她有一個漂亮的媽媽，現在我見了伯母，妳比我想像中，更要美麗！」

「美麗！」馮太太開心的說：「老了，哪兒還能稱得上美麗。」

「不，伯母一點也不老，伯母風度好，高貴、美麗又慈祥！」

「你眞會說話，怪不得露珊娜喜歡你！」

露珊娜咬着下唇笑了笑。

「如果露珊娜不喜歡你的，那末就是她沒有眼光，你別看她已經是二十歲的人了，却還天眞得像個小孩子。」

「天眞的女孩子才可愛。」

門鈴又響了，露珊娜忙走去開門。

大偉低聲對馮太太說：「露珊娜喜歡占美，不過她一向是很孝順的女孩子，她一定會聽伯母的話，我就怕伯母不喜歡我！」

馮太太道：「我喜歡你，你放心，我一定會助你一臂之力。」

占美走進來，他强壯而體健，一副男兒氣概，他穿了一套今年流行的黑白格子上裝，白色褲，白色鞋，樽領襯衣，大方又爽朗。

馮先生一看見他就喜歡。

「小女說你很喜歡打足球。」

「是的，世伯，你也喜歡看足球？」

「喜歡極了，幾乎每一場足球我都不會放過，尤其是外國來的足球隊，不過，平時忙於生意，要等到星期日才有空。」

「以後，我每逢放假，就抽空來陪馮先生去看足球！」

「行嗎？露珊娜不會反對？」

「露珊娜也喜歡看足球的。」

「是麼？那小鬼，就是不肯陪我。」

占美獻上了三盒精美的糖果。

占美和馮先生談得很好，因爲，馮先生喜歡運動，他和馮太太就沒有甚麼說話，因爲，女人的事他不懂。

現在，形勢分為兩局：馮太太和大偉一組，占美和馮先生一組，露珊娜夾在當中。

她簡直沒有機會說話。

不過，她也開心，因為她的困難，可以由父母去解決。

風平浪靜，過了一個愉快的晚上。

大偉和占美都走了，馮家三口，開始開三人會議。

「媽咪，爹哋！你們認為大偉和占美怎麼樣？」露珊娜急不及待的問。

「不錯，都不錯！」馮先生點着頭。

「到底哪一個好？」

「那還用問麼？」馮太太說：「當然是大偉好，他有家教，對女人體貼、溫柔，他會打扮，說話又動聽，又懂得用錢，他送給我的，是一件名貴的衣料，這種衣料，我在一間大公司見過，要七千多塊錢一碼的。」

「爸，你也喜歡大偉吧？他也送你一個好名貴的烟斗。」

「不，我這個人，是不重視錢的，雖然，大偉也不錯，夠型，笑容可愛，又會處世做人，而且也很會打扮。」

「這就行啦！」馮太太很開心：「就決定了要大偉。」

「不，太太，我要占美。」

「占美？」露珊娜低聲叫。

「哼！占美有甚麼好！」

「他的好處可多了，他樸素、誠實、健康，我尤其喜歡他對足球有興趣。」

「老頭子，你也太自私了，選女婿，是爲了陪你看足球。」

「不，太太，我這個人也很民主，決不自私，將來占美娶了露珊娜，我也不會每個星期日纏住他，最重要的是占美老實，如果他要陪太太，我也會識趣。」

「老實說，占美那樣吝嗇，你還要選他？」馮太太不服氣說：「第一次來見未來岳父岳母，竟然送糖果。」

「送糖是恰如其份的，我認爲他很有知識，大偉就過份奉承了，第一次見面，就送幾萬元禮物，他這是用銀彈政策。」

「我認爲大偉聰明伶俐。」

「我認爲占美老實可靠。」

「大偉好！」

「占美好！」

「嫁占美沒有幸福！」

「嫁大偉一定會變心。」

「大偉好！」

「占美好！」

「爸爸，媽媽，你們不要吵了，我昏死啦，腦脹啦！」

馮先生夫婦鼓起了嘴。

「爸爸，媽媽，請你們告訴我，哪一個比較好，我應該選哪一個。」

「大偉好！」馮太太說。

「占美好！」馮先生堅持着。

「啊！天！露珊娜拍一下頭：「又一次白費心機。」

＊　＊　＊

「和我結婚！」大偉說：「我會令妳快樂，給妳溫暖，我會買很多的禮物給妳。」

「露珊娜，嫁給我，我會一輩子愛妳，永遠不變心。」

「我會待妳更好，妳死了，我陪葬。」

「我不會令妳死，我要用盡我的一切力量，保護妳。」

「嫁給我吧！」

「嫁給我吧！」

「唉！我眞爲難，本來，你們兩個我都喜歡，因爲你們各有優點，而且，你們差不多是男孩子當中，最好的兩個……」

「……」

「……」

「因此，我實在下不定決心，所以父母才要給我幫忙，請你們吃飯。」

「伯母喜歡我嗎？」大偉已搶着問。

露珊娜道：「我媽咪非常的喜歡你，她欣賞得空前絕後了。」

「那好極了！」大偉把露珊娜抱起：「我們可以結婚了！」

「啊！」占美垂下了頭。

「不過，占美也不用失望，我爸爸很喜歡你，他認爲你老實可靠，要我嫁給你！」

「噢！」占美又開心了：「我又有希望啦！」

「露珊娜，妳到底決定了沒有？」

「我沒有辦法決定，我的父母也各持己見，我實在沒有主意。」

「那有甚麼難？」大偉說：「妳喜歡誰，就嫁給誰！」

「問題是……」露珊娜垂下頭來：「沒有人給我主意。」

「你自己應該有主意！」占美開始說道理：「因為結婚是妳自己的終身大事，任何人，都不可以為妳決定，而且，妳和我們已經來往了一段日子，對我們應該有所了解，因此，妳不該順從父親或母親的主意，當然，他們的話，妳可以參考，不過決定還是由妳自己，妳應該好好考慮。」

「不用考慮了吧！我知道妳喜歡我，和一個自己喜歡的人結婚才有幸福。」

「露珊娜也喜歡我！」

「嘿！你算是甚麼？」大偉很生氣：「我和露珊娜說話，也要你干涉？」

「誰干涉你？我就沒有權說話嗎？」占美也不客氣。

「怎麼了？你這麼兇，想打架？別以為我會怕了你！」

「打架就打架，你以為我怕了？」

露珊娜忽然有了一個念頭，既然，她不能決定哪一位，倒不如讓他們比比武，像古時比武招親一樣，誰勝了就嫁給誰！

大偉和占美仍然在吵。

露珊娜手一搖說：「停嘴！」

大偉和占美不再相罵了。

「我忽然想到了一個好主意，這樣，可以幫助我選擇，你們來一次公平比武，不過，不准傷人，傷人算輸了，大家要公平些，誰贏了那一場比賽，我就嫁給誰，怎樣？你們有沒有意見？」

「打架隨時奉陪！」大偉低嚷着。

「我也決不反對！」

「公證人呢？」

「我和安安做公證，行嗎？」

「我同意！」

「就一言爲定吧！」

下午，兩點鐘，今天太陽不怎樣猛，有海風，海風很大。

他們約好了在黑水灣比武，露珊娜帶同安安一起去，她們坐下來，在分別計積分。

湯大偉穿了身白色軋布襯衣、白背心、白色長喇叭褲；占美穿了一套藍色T恤和褲子。

他們站好馬步，海風急速地吹着他們的頭髮，他們也顧不了儀表，一定要打倒對方。

「準備好了吧？」安安大叫。

「準備好了！」

「隨時可以開始。」

「好，你們聽着，我數一、二、三，數到第三，你們就可以搏殺了，聽着，一……二……三……打。」

於是，大偉撲了過去，一個雙飛腿，要把占美踢倒在地上，占美身一低，跳起數步，大偉的腿就落了空。

當時的形勢，緊張、刺激又驚險，安安看得張大了嘴巴。

她是個武俠小說、武俠片迷，武俠片她看得多，甚麼刀呀劍呀、暗器呀、空手道、柔道……她全看過了，就是沒有見過這樣逼眞的場面，她興奮得一顆心卜卜直跳。

大偉的腿最厲害，由於他身材較矮，因此，他盡可能不敢近占美。因爲，占美拳頭重，臂又長，他們接觸，吃虧的還是大偉。

因此，大偉不斷用腿，占美不斷用拳，兩個人，你一拳，我一腿，打得十分精彩。

露珊娜也看呆了。

由於大偉和占美的武功平等，因此，他們大戰數十回合，完全不分勝負。

安安可不耐煩了，她嚷着：「喂！朋友，已經由兩點鐘打到四點半，你們不疲倦嗎？」

「妳看他們，龍精虎猛。」

「唉！也不知道要打到甚麼時候。」

「妳慌甚麼，又不是打妳的孟加。」

「他要打架，我也歡迎啊！那表示他夠英雄，我喜歡我的男朋友是英雄。」

「那妳安心等着好了，輸了的那一位，是屬於妳的。」

「如果他們愛着我，別說他們是英雄，他們是狗熊我也要。」

「我不會嫁兩個的，我祇能要一個，另一個，就是妳的了。」

「天！他們到底打到甚麼時候，五點鐘了，他們還不肯住手。」

「妳這樣焦急到底幹甚麼？」

「我肚子餓呀！皇帝。」

「這麼快就肚子餓？一點鐘妳才吃了一個大餐和一份牛扒。」

「那些食物，已經過了四個鐘頭了，我早已肚餓啦！妳看，占美又踢了大偉一脚，啊！占美打得眞好呀！」

「妳看錯了，是占美打了大偉一拳，大偉踢了占美一脚。」

「管得了他們誰用手，誰用脚，祇要打得精彩就行了。」

「現在不肚餓了吧？」

「爲甚麼不肚餓，肚餓死了！」

「妳這個人，就祇知道食。」

「人在世上，不爲食爲甚麼？」

「除了吃，應該還有許多事情。」

「還有打架是不是？像大偉和占美，爲妳打生打死，是嗎？」

「我想，我該勸他們不要打了，他們臉上流下血，手也傷了，褲子也擦破了！」

「叫他們停下來，本小姐要吃飯。」

「大偉，占美，該停止了。」露珊娜高聲說：「你們已經受了傷啦！」

「一點點傷，算得了甚麼，我們仍然有力氣打下去。」

大偉乘占美說話，一脚踢向占美下巴。

占美倒退了幾步。

「哈！這個人太不講理。」安安叫着：「大偉犯了規。」

「我們又沒有訂下規矩，誰給打輸了就退出，我們不應該干涉他們。」

「不應該干涉他們。」安安瞟了她一眼：「妳心裏其實是喜歡大偉，又何必那麼虛僞，選來選去，喜歡他，就嫁給他。」

「誰說要嫁給他，我祇不過主持公道！」

「公道，愛情哪有甚麼公道？」

就在這時候，大偉和占美一同倒在地上。

「天！」安安大驚小怪地嚷道：「他們爲妳都死了呢！」

「甚麼？」露珊娜可慌了，她尖叫着：「大偉，占美。」

「啊！」

「噢！」

「你們不可以再打了，算了吧！來看結果。」露珊娜怕了他們。

「我沒有事！」占美首先第一個跳起：「別說一個人，十個人都打得倒。」

大偉同時也跳起來叫道：「既然來了，應該分個勝負。」

「來吧，小子！」

「我怕你嗎？」

於是，兩個人又打了起來。

打，打，打，一直打到日落黃昏。

連露珊娜也忍不住了，她站起來，走到大偉和占美面前，她說：「該停止了！」

「我們還沒有分勝負。」

「我們已經給了分，而且，安安肚子餓，要去吃飯。」

「我們……」

「你們如果要打，繼續打下去，我不會阻止，不過，我要先走，失陪了！」

大偉聽見露珊娜要走，在地上抓起外衣背心，拍了拍，掛在背上。

占美也穿回自己的衣服。

到安安那兒，大偉立刻問：「我們的成績如何？誰輸了？」

「因爲你們沒有打到完場，因此，我們分別以點數計，如果兩方面給的分，若是那一個少，那一個就要退出。」

「公平呀！」

「讓我先來唸！」露珊娜拿起一張紙：「一共是四個半鐘頭賽事，大偉九十五分，占美九十分。」

「啊，天！天！」大偉抱起露珊娜，他跳着又叫着。

「先別太開心，你還沒有聽我的分數，我也是以點數計，而且，我極公平，大偉是九十分，占美是九十五分。」

「噢！我贏了！」占美說。

「那怎麼辦？每人都是一百八十五分，哪一位贏呢？」

「那還用問嗎？露珊娜多給我五分，就表示露珊娜愛我，我當然是贏了！」

「我給分是很公平的，完全沒有偏見，不過現在既然兩個人成績相同，那末，就算打平了，沒有人輸，也沒有人贏。」

「這麼說，我們白白捱打了一頓。」

「前功盡廢。」占美摸着小腿。

「你們也不用失望，今天你們都辛苦了，我請你們去吃一頓豐富的晚餐，我們的事慢慢再決定，我希望你們打過架不要成仇，應該做好朋友。」

「除非妳嫁了人，否則我們一輩子好不了！」大偉說。

「不錯，我們利害衝突得很厲害。」

「別說啦！我餓死了！」安安吵着又叫着。

「走吧！妳這餓貓。」

*　　*　　*

露珊娜被愛情煩惱着，很悶。

她一個人坐在窗前，看着窗口下面的大海。

海水泛着銀光，一點點，閃耀着。

天上的月被雲蓋起來，可是天空的當中，却有一顆大星星。

女孩子害怕沒有人要，害怕沒有男孩子追求，但是，露珊娜却是相反的，愛情一起來兩次，而且，這兩個男孩子，又分不出誰好誰壞。

大偉和占美的父母，天天來邀她的父母，而大偉和占美又老是纏住她。

她解決不了，悶極了，煩極了。

「天主！」她閉上眼睛：「你爲我作主吧！」

她由窗台上跳了下來，回到了臥室，拿了一個結他。

他自彈自唱，她不會彈這首歌，不過，她仍然記得這首歌，而且很適合她現在的心情。

她閉一閉眼睛，低哼着——

我等待着許願星告訴我，愛神在哪兒？

爲甚麼這樣殘酷，給了我愛，又給了我愛。

同樣俊秀的人愛着我，我無法自主。

請愛神給我指示！

我衹要一個，我不會貪婪，我衹要一個！

求求你，許願星，指示我，誰是我終身伴侶……

露珊娜突然停下來，她伏在結他上哭了起來。

也許她心裏喜歡大偉，但是，她又不忍傷占美的心，其實，她也很喜歡占美，但她更不願意令大偉失望！

她煩惱，鬱悶……

馮太太由房間裏走出來，看見女兒擦眼淚，她連忙走過去問：「露珊娜，妳怎麼了？」

「沒有甚麼，我祇是在想。」

「又在想大偉和占美，唉……妳眞是自尋煩惱，人家是因爲沒有人追求而傷心，而妳，却是因爲太多人追求而苦惱，這又何苦呢！」

「我也知道我很傻，本來，我心目中已經有一個愛人，可是，我又怕自己選錯了，而且，我也不想令另一個傷心。」

「妳這樣做，是害人害已，妳痛苦，大偉痛苦，占美痛苦，三方面都痛苦，爲了妳自己，爲了大家，妳一定要決定，不可以拖泥帶水，不能再毫無主意，做人要有當機立斷的精神。」

「媽咪，妳說得對！」露珊娜點一下頭：「這是最後一次了，妳放心，我一定可以決定下來。」

*　　*　　*

安安着急關懷的跑到占美的宿舍。

占美看見她，立刻問：「露珊娜今天爲甚麼沒有上課？」

「噓！」安安吐着氣：「現在不可以告訴你，請你替我把大偉找來好嗎？他不在宿舍。」

「爲甚麼要找他？有事不可以告訴我嗎？」

「露珊娜要見你，也要見大偉，請求你，占美，你快去把大偉找來吧！不能遲了！」

占美心房卜卜的跳！他追着問：「露珊娜到底怎樣了？」

「快去找大偉，別再問我，如果你不肯找，那我祇好走了！」

「不，你坐會兒，我立刻去找大偉。」

占美到處跑，到處找，很焦急，不知道露珊娜發生了甚麼事。

一直找到草地運動場，看見大偉穿着白色的運動衣，正在打草地滾球。

他是那樣的悠閒。

占美急了，他叫着：「大偉！大偉！」

大偉回過頭來，看見占美，他皺了皺眉，沒有回話，繼續打球。

「大偉，停一停！」

大偉無可奈何的停下來，問：「你的宿舍塌了？」

「不，是露珊娜。」

「露珊娜去了你的宿舍？」

「不，不，」占美猛搖頭：「安安來了，看樣子，露珊娜出了事，她今天沒有上學。」

「啊！」大偉立刻說：「快，找安安！」

大偉和占美來到占美的宿舍，安安伸長脖子在看，她一看見大偉就叫：「唉！我還以為你失踪了呢！露珊娜急死了。」

「露珊娜怎樣了？」大偉也無心和安安胡扯。

「她失事啦！」

「失事？」大偉和占美同時叫了起來，他們交換看了一眼。

「你們也知道，露珊娜近來的心情多壞，你們天天迫她，令她心情緊張，昨晚她一個人悶極了，便開了她自己的跑車出去，也不知道怎樣，她的跑車竟然翻下山坡，她……」

「露珊娜死了？」占美幾乎要哭。

大偉也緊張到說不出話。

「露珊娜沒有死，可是受了重傷，剛才我來的時候她才清醒過來。」

「露珊娜在醫院裏？」大偉問。

「是的，郭氏療養院。」

「甚麼，郭氏療養院？那祇不過是一間小醫院，那兒設備不夠，而且醫生又不好，你們怎可以把她送進去？」

「她失事後，由警員送她去公立醫院，今天馮世伯才把她接到療養院來。郭氏療養院的院長是露珊娜的乾爹，他特地給了露珊娜一層樓。」

「別說閒話了，看露珊娜要緊，不知道她傷勢怎樣？」

「是的，我們先去看露珊娜，我的汽車泊在門口，大家坐我的汽車去。」

大偉在開車，占美陪安安坐在一起，安安嘆着氣說：「好好的一個人變成這樣，難怪她傷心，我眞擔心她將來沒人要！」

「她沒有死，一切就不用怕了。」大偉說：「別人不要她，我要她，占美，你放棄了吧！露珊娜是屬於我的。」

「不，大偉，對不起，我不能不要露珊娜，過去，我不放棄她，現在更加不會。」

「你想一想，她受傷了，可能人也變了！」

「就因為這是她最難堪的時候，我不能離開她，我不可以傷她的心，我要永遠陪住她，不讓她感到孤單、寂寞。」

「你少擔心，露珊娜不會孤單、不會寂寞，因為她有我。」

「你這樣愛露珊娜，我也很高興。」

「我當然愛露珊娜，那還用說。」

泊好車，三個人飛跑進醫院，安安領頭，到三樓一個房間，她推開了一扇門。

占美的心，突然卜卜的跳。

大偉也極緊張。

撲進去，看見露珊娜頭部、臉部全紮了白紗布。

「露珊娜，妳怎樣了？」大偉先挨上她的床邊。

占美也走前去，輕輕托了托露珊娜的臉。

馮太太和馮先生都在，他們說：「孩子，大偉和占美都來了！」

「大偉？很大的大；占美？很尖的尖，哈哈……」露珊娜眼睛呆定，她忽然尖聲大笑。

占美嚇了一跳，大偉退後一步，他問馮太太：「露珊娜好像有點不正常？」

「她是不正常，她大腦受了傷，對不起！大偉，我的女兒變了，她配不起你！」

「啊！原來是大腦受震動，沒關係，給她請一個腦科醫生，一定會醫好！」

「你不嫌棄露珊娜？」

「怎會嫌棄，伯母，我愛露珊娜，不管她怎樣，我始終愛她。」

「可是……」馮先生看了看占美，欲言又止：「我的女兒已經毀了容，醫生說，她身體復元了，樣貌更加醜陋。」

「那沒關係！」大偉一點也不在乎：「現在科學昌明，大可以來一個全身整容，我帶她去瑞士，保證她回來的時候，一定比以前還要美。」

「可是，醫生和院長都說，整容對她沒有用，她一邊臉少了一塊肉，而且右眼又瞎了，她的左腿以後不能再行動，她醜如母夜叉，瞎眼、斷足，簡直像個怪人。」

「怪人！」大偉打了一個寒噤，他喃喃的說：「她精神不健全，發神經病，我還可以原諒，但我大偉，怎可以娶一個醜陋怪人。」

占美仍然守住露珊娜，大偉看了看衆人，忽然地說：「眞對不起！我有點事，要走了！」

「等會兒再來？」馮太太問。

「也許不能來了，我忙着。」大偉已經走到了門口。

安安忽然衝上來，她攔住他問：「你不要露珊娜了？」

「我們仍然是朋友。」

「婚事呢？」

「慢慢談吧！」

安安回轉身來，她向占美問道：「你是不是也要走？」

占美搖一下頭。

「你不害怕露珊娜？」馮太太提醒他：「她變得很醜。」

「伯母，我喜歡她的，是她的心、她的人，不是她的臉，我要爲她找遍名醫，醫好她的身體。」占美眞摯地說。

「占美！」大偉回轉身，拍了拍占美的肩膊：「我們過去眞傻，爲了一個女孩子結束了多年的友情，現在，我把露珊娜整個送給你，占美，我們以後又可以做好朋友。」

「謝謝！」占美有點生氣：「你以前不是說很愛露珊娜？爲甚麼現在又把她送給我？」

「我不是已經承認錯誤了嗎？別怪我了，好兄弟，其實，我並非眞心愛露珊娜，我祇不過是爲她的風姿所迷罷了，現在，她已經成了醜八怪，還有甚麼吸引力。」

「你……」占美很生氣，說：「你太傷露珊娜的心。」

露珊娜的眼睛流下了淚，但沒有人注意她。

安安取了一枝筆和紙，她向大偉問道：「你不再要露珊娜了是不是？請你在這張紙上簽一個字，表示一下。」

「好好，我這樣寫行不行？從此之後，我不再和露珊娜小姐來往。」

「你要寫明你拋棄她。」

「行呀！」

「如果她和別人結婚，你不得阻止。」

「我求之不得，怎會阻止？」

大偉簽了字，安安立刻趕他走。

占美回過頭來，他安慰露珊娜：「不用擔心，我會永遠陪伴住妳。」

「我一點也不擔心。」露珊娜由床上跳起來，她說：「媽咪！爲我解去紗布。」
「不要解，妳不能讓傷口外露。」占美關切說。
「我根本沒有傷口！」
不一會馮太太把露珊娜臉上的紗布全拆去，露珊娜又回復了昔日的美麗。
「你……不是汽車失事？」占美呆住了。
「我沒有汽車失事，我已經領了兩年的駕駛執照，駕駛技術一向很好。」
「可是，安安……」
「是我教她說謊，我要考驗你和大偉的愛情。」露珊娜既難過又開心：「謝謝你！占美，你終於爲我解決了困難，我輕鬆多了，而且，我已找到了一個眞正愛我的人。」
「啊！露珊娜，剛才我擔心死了！」占美喜極忘形，把露珊娜抱進懷裏。
「占美……」
馮先生向馮太太打了一個眼色，他們躡足出去，安安也搶着奪門而出。

白色的房間，充滿了柔情蜜意！

（完）

情海

白東尼手拿米高峯，站在圓圓的音樂台上。

淡紫色的燈光下，東尼突然眼睛一亮，一個穿白色晚禮服的少女，昂首走進來。

她身旁伴着兩個穿黑色晚禮服的少年，後面還跟着一個二十五六歲，穿紅色長裙的女人。

顯然他們早已訂座，領班趨前迎着，把他們帶到靠近音樂台的桌子。

那穿白衣的少女，面貌極像年輕時代的「依莉莎白泰萊」。她艷光迫人，儀態高貴，看樣子，一定又是名門閨秀。

像這樣的千金小姐，白東尼想不清曾經見過多少？不過，她似乎最具氣質，風格獨特。

東尼唱完第三首歌，他放好米高峯，向鼓掌者報以微笑，然後由後面走下音樂台。

他正要回休息室，在通道上，他碰見了女歌手——晶晶。

「東尼！」晶晶攔住他：「我正要找你。」

「有事嗎？」

「我有很多話要對你說。」

「該是妳出場唱歌了，我也要換衣服，等我唱完了再說，好嗎？」

「等你唱完了？哈！可又不知道哪位小姐、夫人，請你吃消夜去了，哪裏還有我的份兒？」

「她們是我的客人，我不能不應酬，妳做這一行的，妳應該了解。」

「我當然知道，你紅了，不單祇是紅歌手，還在大小銀幕上出風頭，你現在已經大紅大紫了！」

「我們仍然是朋友。」

「不再是了吧？」晶晶怨憤地說：「以前，我們每星期至少一同吃消夜兩次，遇上假期，我們還會去看一場電影；可是現在，我們幾乎四個月沒有單獨在一起了！」

「我忙嘛！」

「你忙，你忙，忙着應酬那些千金小姐。當然，我祇不過是一個平凡的歌女，我哪能跟她們比？」

「別喊啞了嗓子，等會兒妳還要唱歌。」

「你……」

一個侍役走進來，看見晶晶就嚷：「領班在罵了，妳還不出場？」

晶晶無可奈何的叮嚀東尼：「唱完了，別忘了等我！」

東尼吐一口氣，回到他常用的更衣室。

他的秘書連忙倒了一杯參茶給他。

東尼坐在一張軟皮椅上，伸直了兩條長腿。

「疲倦嗎？」

「我又不是鐵造的，怎能不疲倦？」東尼一口把參茶喝了：「早上灌唱片，下午回電視台拍特輯，晚上還要回夜總會唱歌。」

「唱完歌還要陪人客消夜。」馬志强把一疊白咭遞到東尼的面前：「今天有八張請咭：周寶貝、廖夫人、張導演、馬經理夫婦、朱小姐……」

「都是你不好，如果第一次你不是接下他們的請柬，他們就不會纏着我。」

「他們全是你的忠誠歌迷，晚晚來捧場，要不是他們，夜總會的生意怎會這樣好？以前這兒祇有大貓小貓三四隻，自從你來了，簡直座無虛席，要來聽你唱歌，還得老早訂座呢！老闆由一百磅重升到一百五十磅。」

「他腦滿腸肥了，可憐我……」

「你每月連花紅，最少有十萬元收入，你是最紅的歌星，他是最闊的老闆。」

「羊毛出在羊身上。」

「別發牢騷了，我的好少爺，依老規矩，抽一張吧！」

東尼閉上眼睛，正要拉出一張請柬，忽然，他停住了手：「今晚的邀請，你全部替我推掉吧！」

「眞的很疲倦，要回家休息？」

「我才沒有這個福份，哪一晚我能在四時之前上床睡覺？晶晶約了我！」

「又是她！這個人到底怎樣搞？」馬志强皺起了眉：「雖然她對你有恩，可是，你把她由『夢鄉』拉過來，她的月薪，由一萬元升到三萬元，你早就報了她的恩。」

東尼搖一下頭。走到化妝桌前，梳理一下頭髮。

「做人也眞難，不紅呢，每天爲生活、爲前程擔心；一旦紅了，就連屬於自己的時間也沒有。」志强唉聲嘆氣。

「我能睡得個三日三夜就好了！」

「二十年後吧！」

「等二十年？」

「你的歌，當然唱得好，可是你最吸引那些小姐、太太、夫人，還是你那張小白臉。二十年後，你老了，不再漂亮迷人了，那時候你可以睡五天五夜。」

東尼看一看鏡子裏的自己，爲甚麼？爲甚麼他比女孩子還要嫩、還要白、還要迷人？

爲甚麼不像爸爸，又黑又瘦又矮。

根據遺傳學，他不應該有六呎高，因爲他的父母都很矮。

爲甚麼？

「快輪到你出場了，這是今晚最後三首歌。」志强爲東尼穿上紅色鑲金邊的外衣。

「唱完歌還要接受晶晶的疲倦轟炸。」

「今晚是好機會，索性和她一刀兩斷。」

「很難。我們以前是朋友，她幫過我。而且，我知道她很癡心。」

「你索性和她結婚。」

「那更難，我根本從未愛過她。」

「這一大堆歌迷、影迷，你到底愛哪一個？」

「誰也不愛！」

「我認爲那一大堆追求者當中，周寶貝小姐條件最好。」

「唔！她富有、年輕、漂亮，對我也很溫柔！」

「索性娶了她，她答應讓你做董事長，把她爸爸名下一間洋行交給你打理，那時候，你就不用熬夜，可以過正常生活。」

「如果要我娶一個我自已不喜歡的人做太太，那我寧願熬一輩子。其實，唱了七八年，我也儲了點錢，就算我現在不再唱了，我也不會餓死。不過現在這個時候就退休，那太可惜了。」

「當然可惜，你還不滿二十六歲，正在當紅，而且你拍片、上電視做特輯、灌唱片、到國外巡迴演唱，加上這兒的收入，一年最少可以賺五百萬。」

「你對錢的數目字最感興趣。」

「那還用說，沒有你，我就沒飯吃了！」

白東尼笑一笑，剛才那侍役敲門進來，他看見東尼恭恭敬敬的說：「白東尼先生，領班請你出場。」

他對東尼和晶晶的態度，有着顯著的分別。

＊　　＊　　＊

白東尼已很久沒有到晶晶的家，一年後的今天，還是從前那間套房。

晶晶的居住環境不壞，起碼要比她在「夢鄉」唱歌時，住一個小尾房好得多，但是比起白東尼最近購買的花園洋房，就有天淵之別。

白東尼不單祇住過小尾房，他十七歲前一直和教書爲生的老父同住一個床位，白老先生省吃省住，千辛苦、萬辛苦把兒子送進學校，一直讀到高中畢業。

晶晶和東尼以前是隣居「一板之隔」。晶晶十五歲就在「夢鄉」唱歌，她沒有家庭負擔，一個月幾千塊錢自己用，有了錢，她就送東西給東尼。

自從晶晶搬進這間舊樓，她對東尼一見鍾情，她早就開始追求他。

可惜，東尼祇喜歡和他學校裏的同學唐玉芬在一起，玉芬比他大兩歲，不過人很漂亮，後來不知道怎樣的，玉芬嫁了人，東尼傷心了一段日子。

不過，晶晶並沒有因此而代替了玉芬，東尼對她，還是冷淡的，比最普通的朋友好不了多少。

直到白東尼中學畢業那一年，他十七歲，他的父親去世了。要不是晶晶借給他三千元，他連父親的遺體也無錢殮殯。

緊隨着，晶晶帶他到「夢鄉」唱歌。

由於他面孔漂亮，又天生一副好歌喉，到「夢鄉」不久，就引來不少少男少女。

生意好了起來，晶晶和東尼都加薪。

不過那些小地方，很難會有甚麼大發展。

直到東尼十九歲那一年，他參加了一項歌唱比賽得到了冠軍。他給電台和電視台看中了，唱片公司自然不會放過他。同時他很快就轉到一間頗具規模的夜總會唱歌。

命運這回事，眞的不可思議，好運要來時像排山倒海，誰也阻擋不住。

有一天，一個叫梁百萬的人來找他。梁百萬請東尼到他的夜總會唱歌，條件是：月薪三萬元，洋房一層作爲他的宿舍。他每晚祇需到夜總會唱九首歌，時間是十時至十二時。

於是，白東尼就帶同晶晶轉到最豪華的「白宮夜總會」去。晶晶因爲聲、色、藝技差，進展不大。而東尼却紅霸歌壇，他的月薪也不斷增加。

整整六年過去，白東尼名成利就，獲得了他夢想中的一切……

晶晶放下手袋，她問：「喝甚麼？」

「……」

「東尼，東尼，你怎麼整個人呆了？」

「噢！」東尼如夢初醒：「妳叫我嗎？」

「你要喝甚麼？」

「請給我一杯冰水。」

「不喝一點酒麼？」晶晶走近酒櫃。

「妳知道我是不喝酒的。」

「你不喝，我喝。」

「酒對我們的嗓子有害，妳也不要喝。」

「我又沒打算一輩子唱歌。」晶晶把冰水遞給東尼：「一個人孤零零的時候，祇有喝酒，才能打發時間。」

「妳好像很不快樂？」

「我有理由快樂嗎？我不像你，要風得風，要雨得雨，又有一大堆名門淑女圍繞你。」

「我也不是完全快樂，成功令我失去了自我，我的一舉一動都受到了限制，每天祇要我跑出家門在街上站幾分鐘，立刻會有幾十個歌迷或者影迷圍上來，我要對他們笑，直到臉上的肌肉發僵。」

「你可以退出誤樂圈，你祇要不再是歌星、明星，就沒有人煩你！」

「唱歌是我的職業。」

「你還嫌錢賺不夠?」晶晶在他對面坐下:「你已經有了自己的房子,兩部汽車,有秘書、有管家,相信銀行裏的存款也不少吧?你還要些甚麼?」

「人是永遠不會滿足的,何況,錢還是自己辛辛苦苦賺來。也許,有一天我真的不再唱歌,不再拍戲,我會開一個牧場,辦一間學校,但是,現在還不是時候。」

「要等到哪一天?」

「等我結了婚。」

「和誰結婚?唐玉芬?」

「別開玩笑,她已經是人家的太太。」

「可是,她仍然每晚去看你。」

「夜總會,是公共場所,我沒有權阻止她不去聽歌。」

「你真的不愛她了?」

「我相信我以前也沒有愛過她，我祇是喜歡她，不過，現在一切已成過去。」

「你會和那些千金小姐結婚嗎？」

「目前不會，因爲直到今天，仍然沒有一個値得我傾心。」

「東尼，你……有沒有考慮過我？」

「妳……」東尼不知道應該怎樣說，因爲他不想說假話騙她，如果要他說眞話，又恐怕要傷她的心。

「你爲甚麼不說話？」

「我想……再過些日子再告訴妳，好嗎？」

「爲甚麼現在不能說，要我給時間你考慮？不，我們已經認識了十幾年，我相信你早就考慮過了！」

「晶晶，妳是我的紅顏知己，妳是我的恩人。」

「我不要做你的紅顏知己，也不是你的甚麼恩人，你祇要告訴我，你到底愛不愛我？」

「……」

「是不是因爲我是一個九流歌手，配不起你？」

「不是的，正如妳說，我們認識十幾年了，以前，妳當歌星的時候，我還是個學生，因此，我們誰也配得起誰，我們始終是好朋友！」

「那你到底愛不愛我？」晶晶不耐煩的問。

「活了快二十六年，除了爸爸，我從未愛過任何人！」

「包括我在內？」晶晶迫着問。

「是的！」東尼無可奈何了！

「你不可以愛我？」

「是的。」

「那很好！」晶晶忿忿脫下腕錶，又拉開抽屜：「這名廠金錶、這名筆、這鑽石別針、這錄音機、這收音機、這電視機，全給回你！」

「晶晶，妳怎可以退回人家送給妳的禮物？」

「爲甚麼不可以？你以爲我不知道，你送這許多禮物給我祇是爲了報恩，你對我根本一點感情也沒有。走吧！從此之後我們一刀兩斷。走，帶回你的東西走！」

東尼看着那一大堆東西，他呆住了……

東尼和那白衣少女可眞有緣：在海濱、在遊艇上、在人家的酒宴中、舞會裏、郊外茶座上……甚至彼此開了跑車在路上走，大家也會碰見。

雖然東尼和她從未說過一句話，不過關於她的事，他也略知一二。

她叫史翠珊，今年二十二歲，剛由外國回來，她的爸爸是個銀行家，她一共有五姊妹，她排行最小，她的大姐嫁給會計師，二姐嫁工程師，三姐嫁律師，四姐嫁名醫。一個比一個嫁得好，看樣子，史翠珊最適宜嫁給一些小國王子，貴爲皇妃。

那經常伴在她身邊的兩個少年，一個叫法蘭斯，美國僑領的獨生子；另一個叫陸保羅，船王的兒子，他本身是個畫家，多「財」多藝。

至於那年紀較大的女孩子，她是史翠珊的堂姐——史瑪莉。

東尼對史翠珊的印象不錯，因爲每次見她，她總是儀態萬千，美麗動人，更何況東尼向來是「伊利沙白泰萊」的標準影迷。

不過，東尼可不敢奢望要和她交朋友。

他自知配不上。

這天，剛巧是東尼的假期，幸運地，他沒有被那些小姐、太太纏上，他獨個兒開了新買的遊艇到海上玩。

遊艇開到海中央，他停下來，正拿了杯冰淇淋，坐在甲板的睡椅上。突然，他聽見有人喊救命。

他站起來，看見遠遠有一個人舉手呼喊，那人一定遇溺，東尼連忙跳下水去援救。

東尼拚命的游過去抓住那人，又拚命拖着她游，然後又整個把她托上遊艇。

他讓她躺在甲板上，連忙去找藥油，他記得上次馬志强帶了藥油來，因爲他每次遊船河都暈浪，不搽油就要作吐。

找到藥油，爲昏迷了的人在額頭上搽滿了油，又把瓶口對準她的鼻孔，直到現在，他才看清楚，那戴着白色泳帽，穿着白色比基尼泳衣的昏迷者，竟然是史翠珊。東尼可緊張了，用手輕拍她的臉，又搖她的身體，在毫無轉機的情況下，正要施用人工呼吸，忽然，史翠珊輕喘了一口氣，她的大眼睛緩緩張開。

「醒來了，醒來了！」東尼高興地呼叫着。

史翠珊扶着坐起來，她問：「這是甚麼地方？」

「我的遊艇。」

「我爲甚麼躺在你的甲板上？我……」

「妳剛才在水中高喊救命，我把妳救回來。」

「你是我的救命恩人，我該怎樣謝謝你？」

「救人是我的責任，難道我能見死不救嗎？況且我去救妳的時候，我根本不知道妳是誰。」

「你人格偉大，精神可嘉。」史翠珊衷心的說：「人家說，這裏的人都各家自掃門前雪。」

「也不能一概而論。」

「我很冷，可不可以給我一杯酒？」

「對不起！我是不喝酒的。因此，我沒有酒。妳冷嗎？穿上我這件毛巾外套，這樣會令妳暖和些。」

「謝謝！」史翠珊毫不作態地穿上東尼的衣服：「你叫白東尼，是嗎？」

「是的，妳怎會知道？」

「我到夜總會聽過你唱歌，在電視裏看過你的特輯。你又唱又跳充滿活力。而且，我們家裏有很多你的唱片，我堂姐告訴我，你是全港最紅的歌星。」

「令姐太誇張了，其實，我祇不過是一個平凡的歌手。」

「你不用跟我客氣，我並不是今天才認識你。有幾次，我們同時出現在一個宴會裏，每一次，都有很多女孩子包圍你！」

「是她們給我面子，做我們這一行，沒辦法。」東尼換了一個話題：「妳一個人來游水？」

「不，我還有兩個朋友，他們陪我游了一半就支持不住了，他們回到沙灘等我，我繼續游。」

「妳游得太遠了。」

「其實也不算遠，我在外國參加游泳比賽得過獎的，我可以游很遠很遠。今天不知道爲甚麼，游到這兒，忽然腿部抽筋。」

「游水時，抽筋最危險。以後，妳不要游那麼遠，同時，一定要有人陪。」

「你的話不錯，如果今天沒有你，我早就給海底的魚吃了，你是我的恩人。」

「別客氣。」東尼問：「我送妳回沙灘好不好？」

「我能不能多逗留一會？我有點作悶，想多坐會兒，休息一下。」

「我剛買了一瓶酸果，妳吃一顆好不好？」

「好的，謝謝！」史翠珊很大方，拿了一粒酸果放進嘴裏。

「堂姐說你是個大忙人，怎麼今天有空？」

「今天我放假。」

「你的女朋友呢？有沒有女朋友？」

「沒有。」

「一個也沒有？」翠珊重複一次。

「沒有！」東尼問：「妳的腿好點了吧？」

「沒事了，謝謝！」

「還冷不冷？」

「好點了！」忽然，史翠珊問：「今天晚上你有沒有空？」

「我放假。不怕電影，不上電視，不灌唱片，不上夜總會。」

「我請你吃晚飯，好嗎？」

「好，不過……」

「你救了我，我應該酬謝你的。」

「用不着客氣，我說過，救人是我的責任。」

「白先生，我從來沒有開口求過人，」史翠珊顯然有點不開心：「你是不是不願與我同桌？」

「不，不，史小姐。」東尼可急了。其實，他巴不得能和史翠珊在一起，但是另一方面，他又在擔憂：「是我配不起妳！」

「你是我所有的男朋友中，最出色的一個。而且，你又是個大紅人，誰也希望和白先生一起吃飯喝茶。堂姐還告訴我，請白先生吃飯是要遞請柬的，要不要我補上一張？」

「史小姐，我不大會說話，我答應妳就是了！」

「那好極了！抄下我的地址，晚上八點鐘，到我家裏接我。」

從此之後，白東尼是史家的常客，當然，史翠珊也是白家的常客。

可是來往了一段日子，白東尼始終沒有見過翠珊的爸爸，銀行家嘛，總是忙這忙那，如果不忙，也不會有那麼多鈔票湧往口袋。

相反的，史翠珊不單祇見過馬志强，還見過白東尼的管家——昌伯。

馬志强和昌伯，對史翠珊另眼相看，不是因爲她是銀行家的千金，不是因爲她艷麗出衆，而是因爲她是白東尼第一個主動帶回家的女孩子。

史翠珊很少到夜總會，因爲她看不慣那些女客人對東尼如癡如狂的樣子，她更加不高興東尼陪客人去消夜，爲了這件事，她和白東尼好好的談過——

「我和她們消夜，祇是吃點東西，大家談談就分手了，根本沒有甚麼。」

「你要消夜，我陪你，我可以每晚陪你。」

「我不是爲了貪吃消夜，是因爲她們是我的客人，我不能不應酬她們。」

「你怕失去捧場者？祇要你的歌唱得好，就不用擔心沒有聽衆。」

「我眞的不用管她們？」

「誰也不用賣賬，你的聲、色、藝都是第一流的，像你那樣條件十足的歌星，別說香港，外國也找不到。你又何必浪費時間應酬她們？」

「我在這兒唱了幾年，她們風雨無間的給我捧了幾年場……」

史翠珊道：「有點捨不得，是不是？周寶貝，珠寶業鉅子的千金。丁芬妮，富家小姐。張貝絲，專欄作家兼影評家。廖夫人，名流太太，又名唐玉芬，你的前戀人。」

「我祇是把她們當歌迷，完全沒有私人感情。」

「但是她們對你呢？天天捧場，請你消夜，借故送你禮物……你敢說她們沒有目的？」

「翠珊，以前我因爲不認識妳，所以……」

「每一個人都有權交朋友，我以前也有很多朋友，過去了的，不要再說了，我爲了你，已經不再和法蘭斯、陸保羅來往，我希望你也爲我設想，尤其是那位廖夫人，她已經是個有夫之婦。」

「妳說得對，翠珊。」東尼握着她的手：「我吩咐志强，此後誰的請柬我都不接。」

「以後每晚我開了汽車在夜總會後門接你！」

「那太辛苦妳了！」

「我喜歡這份苦差事！」

「翠珊……」

從此，他們的二人世界裏，一直風平浪靜。

直至有一晚……

東尼正要更衣出場，馬志強匆匆走進來：「東尼，廖夫人請你無論如何和她單獨見一次。」

「我已經不再接請柬，你又不是不知道。」

「可是，廖夫人說有很重要的事要見你。」

「我不能赴約，史小姐的脾氣，你應該清楚，我不想惹她生氣。你替我去回絕廖夫人。」

馬志強走出去，一會兒又氣喘喘的奔進來道：「東尼，東尼，你眞的要破例去一次，廖夫人嚷着要自殺。」

「自殺？她在外面鬧？」

「她在外面鬧，我和經理已經合力把她拖進經理室。」馬志强在喘氣：「唱完歌，你帶她出去，讓她留在這兒，很快就會爲你鬧新聞。」

「唉！」東尼嘆了一口氣：「好吧！叫她在外面找一處地方等我。」

東尼匆匆唱完三首歌，連衣服也沒有換，又匆匆由馬志强開車送他到約會地點。

廖夫人在名流俱樂部的私人休息室等他。

那兒除了周末和周日，平時，總是靜靜的，沒有幾個人。

東尼一見了廖夫人，首先聲明：「我祇能逗留十五分鐘，志强的車子還在停車場等着。」

「我已經爲你叫了一點吃的，你坐着吧！」

「我甚麼也不要吃，妳有話快說。」

穿着金緞子旗袍的廖夫人儀態萬千，她早已忘記剛才要生要死：「那末，先喝一杯咖啡，好嗎？」

「好吧！不過喝完咖啡我就走！」

廖夫人按一下鈴，一個侍應走進來，廖夫人叫了兩杯咖啡。

「妳不應該約我到這裏來，這兒是社會名流出沒的地方，有很多人認識我！」

「你怕麼？」

「我怕？我怕甚麼？我又沒有太太，妳還是當心自己吧！別忘了妳是有夫之婦。」

「我的丈夫對我很好，我不用擔心他爲難我。」

「既然丈夫對妳好，妳還找我幹甚麼？」

「因爲我並不愛他，我由始至終，祇愛你一個人！」

「愛我？如果妳愛我，妳出嫁前一天來找我，我拉着妳，叫妳不要嫁那姓廖的，可是妳不理我，摔開我的手就走！」

「東尼，今非昔比。以前，我過的是非人生活，我非要找一個丈夫嫁出去不可，而你那時候，才祇不過十五歲，我們兩個人都窮困不堪，我們怎可以結婚？」

「過去的，別提了，妳要結婚，我也沒有怪妳。」

「我決定和姓廖的結婚的時候，我早就有了打算，我要在丈夫身上擠出一筆鉅款，然後我回到你身邊，過我們夢想中的日子。」

「妳已經在妳丈夫身上擠了一大筆？」

「是的，現款大約有一千萬，首飾有兩千萬那麼多，還有十幾種股票，房子。」廖夫人興奮的說道：「東尼，我今天約你出來，是要和你私奔的，我們有了錢，你不用再唱歌了！」

「私奔？那怎可以？」

「為甚麼不可以？你知道我是愛你的，」廖夫人坐在他的椅子扶手上，用手環搭着東尼的肩膊：「這幾年來我唯一的消遣就是上夜總會聽你唱歌，我把一切的希望全寄托在你的身上。」

「很不幸，」東尼拉開她的手，站了起來：「我需要妳的時候妳走了。當妳需要我的時候，我已經不再需要妳了！廖夫人，回去吧！回到妳丈夫身邊去吧！」

「東尼，你以前那樣愛我……」廖夫人哭叫着。

「我們分手的時候，我才祇不過十五歲，小孩子，懂得甚麼愛？我沒有愛過妳，眞的，我從未愛過妳，再見吧！廖夫人，我希望妳以後不要再到夜總會了，那對妳沒有好處！」

「你恨我，因爲我嫁了人，你恨我！」

「我沒有時間，也沒有心情恨妳。玉芬，不，廖夫人，妳還是好好的待妳的丈夫，做個賢妻良母吧！別說妳有三千萬，就算妳有三億元，我也不會和妳私奔，我不是靠女人吃飯的那一種人。」

廖夫人擦着眼淚，她的淚水把她臉上的化妝品冲下來，使她變了花面貓：「東尼，你不肯跟我走，我不能迫你，我們可不可以像過去一樣，你唱完歌，抽時間陪我吃消夜？」

「不可以！」

「你眞的那樣討厭我？」

「不單祇是妳一個，所有的約會我全推了！」

「是不是爲了那姓史的？」

「……」

「她的事，我也知道一點，無可否認，她比我們一班人都漂亮，不過，你和她在一起，也不會有甚麼好處。」

「是的！起碼她不會帶着錢和我私奔。」

「你用不着譏諷我，也許史小姐很愛你，其實像你這樣年輕英俊的大明星，誰遇上你，那還逃得掉？不過，單是史小姐愛你又有甚麼用？你知道她的爸爸嗎？我已經請私家偵探查過了，史老頭封建固執，他們姓史的一家人，所有的配偶都是門當戶對，非富則貴，他們決不會要一個賣唱的做女婿。」

「那是我和史小姐之間的事，用不着妳操心。妳還是多想想自己：背夫別戀，企圖私奔，該當何罪？我走了！永不再見！」

「東尼，東尼……豈有此理！」

＊　　＊　　＊

東尼一口氣唱了三首歌：Please Mr. Postman，We May Never Love Like This Again和Only Yesterday。

在掌聲中他走下音樂台，經理一手拉住他：「東尼，我們到酒吧間去。」

「有事？」

「晶晶剛才向我辭職。」

「辭職？她換場子？」東尼對酒保說：「給我一杯橙汁。」

「她不唱了！」經理和東尼坐在高櫈上，經理說：「大概是要和姓李的同居。」

「同居？晶晶一向私生活很好，怎麼會……」

「你不知道她最近晚晚和姓李的一起消夜？」

「是嗎？」

「本來我不想管閒事，晶晶走了，我可以用較少的錢聘請另一個新人，不過，看在你的份上，我不能不爲晶晶擔心。」

「那姓李的有問題？」

「他不單祇是個有婦之夫，而且黑市太太也有好幾個，以前在這兒唱的天娜跟了他，不到一年，就把她拋棄了，天娜懷着孩子，跳海自殺死的。」

「我記得天娜，」東尼點一下頭：「就是那個姓李的？」

「同一個人。他玩弄女性，用情不專，晶晶跟他，當然沒有幸福，不過，還有更嚴重的，有人告訴我，姓李的是個毒犯，專賣毒品的黑人物。」

「這……」東尼爲晶晶焦急起來：「晶晶爲甚麼這樣糊塗？」

「你勸勸她。雖然她年紀大了，沒有甚麼號召力，不過看在你的份上，我願意仍然僱用她。」

「謝謝你，經理。」

「晶晶和那姓李的，仍在夜總會裏，你去找她談談。」

「好的！」

經理走開去，東尼撫心自問，自從認識了史翠珊，他實在很少關心晶晶。

東尼叫來了一個侍應，他吩咐說：「亞成，請晶晶小姐來，我在那邊等她。」

東尼向酒保要了一杯晶晶喜歡的酒，又拿了自己的橙汁，他走到酒吧旁的一個小小起坐間等候晶晶。

好一會，晶晶才緩緩的到來，她懶懶的看了東尼一眼說：「找我？」

「是的。坐會兒，這是妳喜歡喝的酒。」東尼的態度誠懇而熱情。

晶晶想一想，終於坐下來：「有人等我，有話快說。」

「經理告訴我，妳辭了職，不唱了！」

「不錯！」

「為甚麼？」

「結婚！」

「和一個有太太、有黑市夫人的男人結婚？」

「如果你不喜歡聽『結婚』這兩個字，那末，我可以告訴你，我要和一個有了妻子的男人同居。」

「同居是沒有法律保障的。」

「有法律保障的人，還不是一樣會離婚？」

「他是販賣毒品的，妳犯得着爲他犧牲青春和前程？」

「我已經快三十歲了，還有甚麼青春？我的歌一直沒有進步，我在這兒唱，是沾了你的光，我還有甚麼前程？」

「妳眞的甘心情願和他同居？」

「是的，唱了十幾年，不紅不白，我實在唱膩了，我很想過一些舒服的日子。」

「可是，姓李的又能愛妳多久？他是個玩弄女性的壞蛋，過不了很久，他就會拋棄妳。」

「我也沒有打算和他過一輩子，他不喜歡我，我拍拍手就走；我不喜歡他，分分鐘可以分手。」

「我知道妳痛恨我，可是，妳不應該爲了我而蹧蹋了自己。」

「我沒有恨你，我知道愛情是不能勉强的。」晶晶的淚直流下來：「我這一輩子，再也不會戀愛了。因此，無論我嫁張三李四都是一樣。我用肉體換金錢，誰也不欠誰。」

「晶晶，我對不起妳！」

「別說傻話，我們誰也不欠誰。」晶晶打開手袋拿出一塊手帕抹眼淚：「我要走了，我們還要去吃消夜。」

「晶晶，無論妳將來遇上甚麼困難，妳不要忘記我這個朋友，我隨時願意幫助妳！」

「謝謝你的好意，我永遠不會忘記你這句話。」晶晶站起來，她哽咽說：「再見！」

「再見！」東尼望着她的背影遠去，他心內一陣難過，晶晶可以說是他的紅顏知己。他父親去世時，是她出錢殮葬的。他沒飯吃，幾乎給房東太太逐出房門，他正在走投無路的時候，晶晶介紹他到「夢鄉」唱歌，兩餐一宿，總算解決了，全是晶晶的幫忙。照情照理，東尼應該和她結婚，可是，東尼實在不愛她，他也不能拿愛情來報恩。又何況，他現在已經有了史翠珊？在此時此地，他祇能說一聲：抱歉！

他無精打采的回到更衣室，一推門，看見有五個陌生的男人。

一個矮胖小子，其餘四個是彪形大漢。

東尼再看牆之一角，馬志强被綑綁着，嘴巴也給人塞住了。

馬志强一看見東尼，他掙扎着，嘴裏咿咿呀呀。

「你們……是甚麼人？」

那矮胖子說：「你是誰？」

「我叫白東尼，你們到我的更衣室做甚麼？爲甚麼綁住我的人？」

「你就是白東尼，很好，我正要找你！」矮胖子朝白東尼上下打量：「果然是英俊不凡。」

「你是誰?」

「唐玉芬是我的太太。」

「啊!原來你是廖先生,找我有甚麼貴幹?」

「你是出了名的靚仔,喜歡你的女孩子當然不少,」廖先生怒沖沖說:「你爲甚麼還要引誘人家的妻子?」

「我引誘誰?」

「當然是我的太太,否則,你的事,我也懶得去管。」

「我引誘你的太太?是你的太太每晚來聽我唱歌,是她主動的,我並沒有强迫她。」

「我太太一向喜歡音樂,她每晚來聽歌,沒有甚麼不對,」廖先生指住他:「你不會不知道她是人家的太太!」

東尼道:「我當然知道,我們這兒的人,都叫她廖夫人!」

「既然知道了，爲甚麼還要纏住她？看中了她的錢？我已經調查過你這個人，因爲你面孔漂亮，不少女人喜歡你。你利用自己的優點，不知道淩辱過多少良家婦女，你幸運，一直沒有人對付你，今天我爲了我的妻子，我要懲罰你。」

「我和你太太一點連繫也沒有！」

「沒有？昨天你就騙她去名流俱樂部，想汚辱她。幸而我太太不像那些頭腦簡單的女孩子，她夠理智，又賢慧，她奮力抗拒你，才保存了淸白。」

「昨天晚上？誰說我和你太太去名流俱樂部？」東尼暗吃一驚，想不到東窗事發。事情前後不超過二十四小時。

「我太太親口告訴我的。怎麼？沒話說了吧？」

「玉芬，她……」東尼大感驚訝。

「你膽敢叫我太太的名字？你這色狼！你這敗類！你們給我打，重重的打！」

「廖先生，你聽我說……」

「打，打……」

於是，四個大漢，八隻拳頭，像雨點般揮向東尼的身上，最初，東尼極力廻避、抵抗、反擊……漸漸的，因爲寡不敵衆，姓廖的又不停喊打，那些打手就更賣力了，東尼渾身受傷。突然，他喉頭一股腥味，他吐出一口鮮血，眼前一片黑，他暈過去了……

也不知道過了多少時候，東尼矇朧間，聽見外面有人爭吵。

「我求求你，讓我進去見東尼。」

「不行！」馬志强的聲音硬得像鐵：「妳見東尼沒有死，想來謀殺他？」

「怎麼會呢？我祇想慰問他。」

「別貓哭老鼠假慈悲，如果妳眞的這樣關心東尼，妳就不會挑撥妳的丈夫，把東尼打個半死不活。他昏迷了一個晚上，現在還沒有醒過來。我警告妳，如果東尼有甚麼不測，哼，我不會放過妳。」

「我承認做錯了。昨天，我因爲痛恨東尼拒絕跟我私奔，我懷恨於心，所以告訴我的丈夫。我以爲，他祇不過找東尼麻煩，我想不到他會請打手。我眞的想不到後果會這樣嚴重。」

「怪不得人人都說最毒婦人心，妳因爲得不到東尼，就要置他於死地。走，妳立刻給我滾出去！」

「馬先生，我求你讓我見見東尼吧！」廖夫人哀求着。

「不行！這兒沒有妳立足的地方，妳到底走不走？如果妳不走，昌伯，拿一把掃把出來，要最髒的那一把！」

「我過幾天再來看他。」

廖夫人走了，馬志强關上門，就聽見東尼在房內，乏力的叫道：「志强！」

「東尼的聲音！他醒來了！」志强開心地推開房門進去，看見東尼四處張望。

「我怎會在家裏？」

「你受了傷，我們扶你回家休息。」

東尼轉一下身，他立刻痛叫起來。

「你別動，你頭部、面部、手脚和身體都受了傷。」志强把他按下來，替他蓋好被。

「我面部受了傷，會不會變醜八怪？」

「醫生說不會，你的面和眼睛祇是被打腫了，敷幾天藥就會復元。」

「剛才你和誰在吵？」

「就是那毒巫婦，她挑撥是非，你無辜被毒打一頓，她還來假獻殷勤。」

「愛的反面就是恨，我不怪她。不過，她是有夫之婦，爲了不想惹麻煩，我眞的不想再見她了。吩咐昌伯，永遠不要讓她進來。」

「你放心，我和昌伯都不會讓她再接近你，要是她到夜總會纏你，我就報警。」

「志强，」東尼想念着翠珊：「史小姐知道我受了傷嗎？」

「怎麼不知道？昨晚是她和我兩個人送你回來的。把你安頓後，史小姐又請醫生來看你。你看，你的手和頭全紮好紗布。史小姐對你眞好，她坐了一晚守着你，眼睛也沒有閉一下。」

「她看見我受傷，她一定嚇壞了！」

「她看見你暈倒在地上，她抱着你一直在哭，她還以爲你死了呢！史小姐眞的是很愛你！」

「眞難爲了她，現在她人呢？」

「因爲你受傷不輕，需要休息一段日子，她爲了方便照顧你，她決定搬到這兒來，她現在回家去拿衣服。」

「我第一次看見她，覺得她很驕傲，想不到她這樣溫柔體貼。」

「富家小姐當中，算她最平易近人。東尼，你有福了！」

東尼滿足地笑一笑，立刻又是一陣痛，他皺眉問：「我不能上夜總會唱歌了，經理怎樣說？」

「經理可焦急呢，他說你養傷的日子，他決定關上大門，暫停營業，順便作內部裝修。」

「我對夜總會眞的這樣重要？」

「事實上在幾個歌星當中，你最有號召力。」

「也不至於這樣嚴重吧？」

馬志強正要說話，忽然聽見門鈴聲，他匆忙的走出去。開了門，看見史翠珊拿着皮篋站在門外，她第一句話就問：「東尼醒了沒有？」

「他醒過來了！」

「眞的？志強，你替我把東西拿到客房去，我要看東尼。」史翠珊放下皮篋便走，她推開房門，看見東尼躺着向她微笑。翠珊開心得撲過去伏在他的胸膛上：「東尼，你終於醒來了！」

「哎唷！」

「很痛，是不是？對不起，我忘了你受傷。」翠珊輕撫他的胸脯：「還痛不痛？」

東尼爲了不想令翠珊擔心，他擠出了一個笑容說：「不痛了！」

「餓不餓？」

「唔！」東尼點一下頭，他想用手撫摸翠珊的臉，可是手剛抬起，立刻就痛得他把手放停下來。

「怎麼了？」翠珊立刻關注的問。

「很痛！」東尼忍不住雪雪呼痛，淚水幾乎淌下來：「我的右手不是斷了吧？」

「醫生說，手脚都沒有事，衹是扭傷了，你別動，這樣可以減輕痛楚。」

「那些人也太狠了！」

「以後你就不要再惹那些有夫之婦。」

「我還敢惹她們？以後我誰也不理。紅顏禍水，這句話一點沒錯。」

「包括我在內？」

「不，妳是例外的，我不相信，妳會給我任何麻煩。」

「你的嘴好甜，」翠珊用手按一下他的唇：「你躺會兒，我去給你烋鷄粥。」

「不，不要，翠珊不要走。」東尼懇求着：「我要妳留下來陪我。」

翠珊看看他那深情的眼睛，她忍不住在他的面頰上吻了一下，柔聲說：「我去吩咐昌伯，一轉身就回來。乖，等我。」

*　　*　　*

翠珊耐心地，一口飯，一口菜的餵進東尼的嘴裏。

東尼却沒安心吃飯，一會兒用手撫揉翠珊的頭髮：「妳的秀髮柔軟如絲。」

「別動！」

「妳瘦了，看，下巴都尖了！」東尼又用手摸翠珊的臉。

「我的好少爺，求你不要動好不好！」翠珊放下飯碗：「人好一點就不安份，你這樣搖來動去的叫我怎樣餵你？」

「生氣了？」東尼眨着眼睛，像一個犯了事的孩子，手縮進被裏好害怕：「不要生氣嘛！我不再動就是了！」

「等你的右手全好了，我就不再理你！」

「翠珊，我不敢了，眞的不敢了！」

翠珊掩着嘴「咭」的一聲笑出來。

「祇差兩個月就二十六歲了，還像個孩子。」翠珊拿起飯碗，繼續餵東尼吃飯：「其實，你的傷也快好了，我來這兒已經一個星期，我應該回家了！」

「不，翠珊，」東尼心一急，伸手抓住了翠珊的手，翠珊幾乎把飯倒在地上：「妳不能走！」

「這兒是你的家，總有一天，我要回去的！」

「妳看我，還要躺在床上，走幾步腿就痛，妳就那麼狠心，拋下我不顧？」

「我又沒有說立刻走，你急甚麼？」翠珊把鷄肉放進東尼的嘴裏：「我跑出來那麼多天，要是再不回家，我爸爸準要報警。」

東尼把鷄肉吐出來，閉着嘴。

「你怎麼了？」

「我不想吃！」

「爲甚麼突然沒有胃口？豉油鷄是你一向最喜歡吃的！」

「妳既然不理我，我索性餓死好了！」

「你這個人怎麼這樣蠻不講理？我甚麼時候說過不理你？」

「妳要回家了，留下我一個人！」

「好吧！大少爺。」翠珊嘆了一口氣：「我不走，在這兒吃你一輩子。」

「是妳自己說的，可不准賴。」

「吃飯吧！菜都冷了！」

東尼轉動着黑眼珠說：「在外國，妳一定學護理學。」

「甚麼護理學？」

「護理病人！」

「你是說我做護士？我是學室內設計的！」翠珊嚷着：「我生平最怕侍候人。」

「可是妳對我照顧週到，又耐心，又體貼。」

「我對你呀！唉！眞沒有辦法。我從小就要人侍候、要人奉承，可是，對你，我甚麼脾氣都使不出來，你別瞧我對你溫柔，我在家裏是最兇的，人人都怕我。」

「我也怕妳！」

「怕我個鬼，一個鐘頭了，連半碗飯都吃不完，」翠珊忽然板起面孔：「你再這樣不聽話，我立刻就走！」

「我吃飯了，我不敢再說話了！」東尼吐着舌頭，扮了一個鬼臉。

吃完飯，翠珊一邊削梨子皮，一邊說：「我看你不要再唱歌了！」

「不唱歌，難道一天到晚坐在家裏吃飯？」

「你一復出，那班女的又去纏你。說不定你又讓人打一頓。」

「我不和任何人來往就是了！」

「可是，她們肯放過你嗎？」

「她們總不能抓着我，把我吃掉。」

「她們就是想把你吃掉。」翠珊把一片梨子放進東尼的嘴裏去：「爲甚麼那班人不在你那好看的臉上留下幾條疤痕？」

「妳好狠的心。」

「我和你做朋友，實在很危險，外在誘惑力太大，我總有一天會失去你！」

「其實，我們倆哪一天分手，誰也不能預測，明天？明年？我不敢想。」

「你……」翠珊放下梨子：「甚麼意思？」

「我相信我們在一起是沒有結果的。因此，我很珍惜現在。」東尼側過臉，聲音有點啞。

「爲甚麼？」

「妳沒有想過麼？」東尼鼻尖都紅了：「妳是富家千金，我祇不過是一個賣唱的！」

「那又怎樣？」

「我們配嗎？」東尼問：「交交朋友當然不要緊，可是，如果更進一步，妳猜，妳的家人會有甚麼反應？」

「我不管他們的反應，我祇做我自己喜歡做的事，我和你所擔心的完全不同，你在擔心我的家庭反對；而我，却害怕別一個女孩子會把你搶走！」

「翠珊，妳放心好了！我白東尼此生此世，也不會找到一個比妳更好的。」

「如果你眞的找到呢？」

「那末，我祇有跟她說一聲：相逢恨晚。」東尼說道：「我可以控制自己，但是，妳能支配妳的家人嗎？」

「我和你來往，我相信我的家人是會反對的。尤其是我的爸爸，他很頑固，不過，無論如何，我會堅持己見，沒有人可以左右我，其實，做一個藝術工作者，有甚麼不好？又不去偸、不去搶。」

「話雖如此，沒有一個名門望族，會贊成他們的女兒嫁給一個賣唱的。」

「那你對我根本沒有誠意，抱着過一天、算一天的觀望態度。」

「翠珊，不管怎樣，我會愛妳！永遠愛妳！」東尼握着她的手：「我大不了爲妳犧牲性命，我最擔心的是妳抵受不住家庭的壓力，終有一天會離開我。」

「東尼！」翠珊伏在他的身上哭了起來。

他用手輕撫她的秀髮，他悄悄的說：「經過這幾天，我再也不能沒有妳！」

「我也不能沒有你，東尼，我愛你！你要對我有信心，我們同心合力，排除萬難。」

東尼剛復元，就吵着要翠珊陪他到海邊散步。

翠珊知道他明天又開始忙，繼續拍未完的戲、上電視錄影他的特輯、灌唱片。而且，他還要回夜總會唱歌。

翠珊也準備明天回家，因此，她也願意陪他最後一晚。

東尼拖着翠珊的手走到海邊，他拾起一顆小石子投進海中，調皮得像個孩子。

「躺在床上困了兩個星期，現在跑出來跳跳，才知道健康的重要。」

「也令你知道自由的可貴。」

「對呀！悶在家裏，眞不好受，幸好，有妳陪伴我。」

翠珊道：「就算沒有我，你仍然會有別的女孩子陪伴你。」

「我才不要她們。」

「聽志强說，你以前和周寶貝很好，姓周的是名門望族。」

「志强是個多事鬼。」

「他不是故意說的。你知道，說話開了口，就難免會洩漏秘密。你是不是和周小姐很要好？」

「我對誰都一樣，全是我的歌迷。不過，在一大班人當中，她條件比較好。」

「她很富有？」

「那根本不重要。」

「她很年輕？」

「差不多二十歲吧！」

「她比我年輕，我二十二歲了！」

「妳也比我年輕，我快二十六歲了！」

「她很漂亮？」

「沒有妳漂亮！」

「她很溫柔？」

「比不上妳明理！」東尼煩躁地揮着手：「爲甚麼老是說這些，我們不要再提周寶貝好不好？」

「好吧！不再提她。我們說些甚麼好呢？」

「我們是在海中認識的，沒有海，我們可能直到現在還不相識。海做了我們的紅娘，這是有情的海。」東尼坐在一塊石上，回憶着。

「海是無情的，它差點要了我的命。說起來，我應該感謝你這個救命恩人。」

「怎麼樣？」東尼把面趨近她：「單是說一聲謝謝？」

「你要我怎樣謝你？」翠珊側過了臉，她耳根紅起來了。

「妳是個闊綽的人呢？還是個吝嗇的人？」

「我是很吝嗇的。」

「那就給我一個吻吧！」

「你……」翠珊低垂了頭，現在，整張臉都漲紅了。

「我愛妳！」東尼把翠珊擁進懷裏，熱情的吻了她。

好一會，翠珊伏在他的胸膛上喘息。

東尼緊摟着她，兩個人靜靜的不說話，海浪聲遮蓋了一切。

「東尼！」

「唔？」

「你以前吻過多少個女孩子？」

「妳為甚麼這樣問我？」東尼嚷叫着。

「你別着急。」翠珊仰起了臉：「我又沒有怪你，就算你和別的女孩子親吻過，也是很平常的事。」

「妳認為親吻是一種平常事，」東尼放開翠珊站起來：「那妳一定和別人親吻過。」

「我沒有，東尼，我沒有。」翠珊用兩隻手抱住東尼，委屈的叫：「我有很多男朋友。可是，我對他們很兇，他們都很怕我，別說吻我，連碰一下我都不敢。」

「那妳爲甚麼要懷疑我？」

「你和我不同，你是個紅歌星，追求你的人很多，大部份都是年輕美女，她們都很熱情，都希望得到你，就算你不去親近她們，她們也會主動親近你。」

東尼想起周寶貝和丁芬妮，他沒說話。因爲她們都曾吻過他。

「起碼，你和唐玉芬以前是情侶。」

「甚麼情侶？她結婚那年我才十五歲，我們大不了就拉拉手。」

「別生氣了，我在這裏賠不是！」

東尼用兩隻手捧起她的臉，看着她那雙迷人的眼睛，他忍不住又吻了她。

東尼道：「翠珊，妳既然對我有懷疑，我們還是結婚吧！」

「你這算是向我求婚？」翠珊一陣驚喜。

「是的，我對着大海發誓：我此生此世，祇愛史翠珊，祇親史翠珊，如果我將來有一天辜負她，我……」東尼道。

「別說了！我相信你！」

「那妳答應嫁給我？」

「我……」

「是不是要我跪在地上？」東尼雙膝往沙上一跪：「糟糕，沒有玫瑰花！」

「你跪在地上幹甚麼？一條新買的牛仔褲就給你蹧蹋了，你快起來。」

「妳不答應我的婚事我就不起來！」

翠珊望着他盡是笑：「我眞沒你辦法，無論甚麼事，我總要依從你，看樣子，我嫁了你準要做你的奴隸！」

「妳算是答應了？」東尼叫着。

「快起來吧！我怕了你！」翠珊扶他起來，他順勢把翠珊用力一抱。

「東尼，我快要透不過氣來了。」翠珊開心地低叫着。她眞的很快樂，因為，她已得到了東尼。

「我們下個月結婚好不好？」

「那麼快？」

「下個月十五日是我的生日，就在我生日那一天舉行婚禮，那多有意思！」

「唔！我差點忘了。那的確是有意義的日子。不過，我還得要問爸爸，聽聽他的意見。」

「明天就問？」

「他現在在瑞士，大約一個星期後就回來，他一回來我就跟他說。」

「妳說過妳爸爸很頑固的。」

「他思想陳舊一點，追不上時代。」

「我眞擔心。」東尼放開翠珊，坐在石上。

「你擔心些甚麼？」翠珊在他身邊蹲下來。

「妳爸爸不會把妳嫁給我！」東尼嘆着氣：「他會反對、他會作梗、他會阻止。」

「我尊重父親，但我絕不愚孝。我有自己做人的宗旨，如果我認爲做對了，那我決不會受任何人的影響。」

「可是他是妳的爸爸，他的命令，妳敢違抗？」

「爲甚麼不敢？我這個人，個性很倔强，人又驕傲。我所以處處遷就你，那是因爲我愛你，不想失去你。有時候，你做錯了事，我也不忍心責備你。我對你是特別的，違反我一向的做人原則，其實，我脾氣不好，而且目中無人！」

東尼記得翠珊第一次昂首進夜總會的情形，他禁不住點一下頭。

「你不必擔心爸爸的感受，因爲你娶的是我，不是我的爸爸！」

「翠珊，」東尼擁着她的肩膊：「我感激妳！」

兩個頭貼在一起。靜靜的黑夜，靜靜的海邊，祇有海水在低低私語。

* * *

由電視台走出來，兩眼張望，看不見翠珊的車子，却看見幾個女孩子指着他交頭接耳。

忽然，一輛紅色的跑車駛過他身邊，停下來。

東尼留神一看(他戴着太陽眼鏡)，看見一個穿紅色牛仔褲、白T恤、紅色牛仔布背心的女孩子，她頭上戴着一頂紅色鴨舌帽。

大眼睛，鵝蛋臉，棕色的皮膚光滑幼嫩。

「天，怎麼來了一個周寶貝？」東尼暗叫不妙。

周寶貝由跑車上下來，她走到東尼身邊說：「我今天交了好運，碰見你！」

「妳也來……電視台？」

「怎麼會？我又不是大明星，我剛去看完朋友，路過這兒，老遠就看見你。」

周寶貝拉着他：「上車吧！」

「不，我還要等人！」

「到車上來談談，」周寶貝一副可憐的樣子：「我求求你！」

東尼左看右望，他眞的害怕翠珊突然出現。

「上車吧！你看，有幾個女孩子走過來，大概是要你簽名，你再不走，就難以脫身。」周寶貝半哄半拉：「況且我們這樣拉拉扯扯，給人看見了，你明天又有新聞。」

東尼在左右爲難之下，坐上了周寶貝的汽車。

跑車「呼」的一聲駛出去，一路上，誰也沒有說話，東尼老是在想着翠珊。

周寶貝的跑車駛進一個停車場，泊好位，周寶貝說：「走吧！」

「去哪兒？」

「到樓上的餐廳吃午飯。」

「不，我約了人，我不能陪妳。」

「你不肯吃午餐？喝一杯茶，好不好？」

東尼看看腕錶，他和翠珊約好了一點鐘，現在才十二點半。於是，東尼點一下頭，說：「祇是喝一杯茶。」

周寶貝挽着他的手臂進餐廳，東尼渾身不安，巴不得一拂手把她甩開。

東尼要了一杯咖啡，他匆匆問：「妳找我有甚麼事？」

「你兩個星期沒有上夜總會唱歌了，爲甚麼？」

「我病了，妳沒有看報紙？」

「可是，我每次到你家裏看你，馬先生總是說你不在。」

「他完全是遵照醫生囑咐。醫生要我安心靜養，絕對不能接見任何人。」

「你到底患了甚麼病？一病就兩個星期？」

「倒霉事，我不想提。」

「東尼，等會兒你辦完了事，我請你吃晚飯好不好？」

「唱片公司的老闆，約了我吃飯。」東尼在撒謊。

「那末我請你吃消夜。」

「我唱完歌立刻就要回家休息，醫生吩咐不准消夜。」

「你臉色很好，白裏透紅，一點也不像有病。」周寶貝端詳東尼：「別管那醫生，今晚我們去兜風吃消夜，好好的談談。」

「對不起，寶貝。我眞的不能陪妳，而且任何人的約會我也不會答應，我病剛好，有很多事要做，我很忙！」

「那你甚麼時候才可以陪我？」

「我有空立刻打電話給妳！」

「今晚我會去夜總會給你捧場。」

「謝謝！」東尼一看腕錶就站起來：「對不起，我眞的要走了！」

「東尼，東尼，等我……」

東尼沒命的跑，他走到街上，跳上一輛計程車，才吐了一口氣。

到電視台大門口，翠珊的「平治」跑車，已在那兒等候着。東尼怯怯地走上翠珊的汽車，向翠珊擠出一個不自然的笑容。

「你去了哪兒？」翠珊的俏臉上沒有半點笑容。

「今天祇拍了幾個鏡頭，提早收工，我十二點鐘就出來了。」

「可是我十二點三刻趕來，你已經無影無踪。」

「我碰見……朋友。」

「男的？女的？」

「女……的。」

「是誰？廖夫人？」

「不，是周寶貝。」

「啊！原來是那位最出色的小姐，你和她吃過午飯了？」

「我是被她拉上車的，我沒有和她吃午飯，我推了她，我和她匆匆說了幾句就走了！」

翠珊不再說話，打了火，汽車直駛出五台山。

「翠珊，妳……」

「你不是還沒有吃午飯嗎？我們先去吃午餐，然後我送你去錄音室。」

「妳不生氣？」他悄聲問。

「你連午飯也不肯陪她吃，我還生甚麼氣？」

「妳眞明理，換了別人……」

「做一個紅星的女朋友，不是想辦法抓住對方，而是應該學會容忍與體諒！」

「翠珊，妳眞難得，以後我會更尊重妳，我決不做妳不喜歡的事。」

*　　*　　*

東尼一抬頭，看見夜總會的大門口，放滿了許多花籃。

走進夜總會，每一張桌上，都插上了鮮玫瑰。

跟在後面的馬志强眼都花了，他找着一個侍應問：「哪來這許多花？」

「是客人送給白東尼先生的。」

「同一個客人？」東尼忍不住問。

「同一位客人。」

「是誰送的？」志强整個人充滿好奇。

「送花來的人沒有說，不過有一張咭片，放在白東尼先生的更衣室裏。」

「進去看看！」兩個人加快脚步走進去，志强推開更衣室的門，嘩！一籃籃的花：紅玫塊、黃玫瑰、橙色星洲蘭、紫色台灣蘭……更衣室簡直變了花房。

「看看誰送的禮？」

東尼把一隻小信封打開，裏面有一張印花的小咭片，上面寫着：廖唐玉芬敬贈。

「又是她！」東尼把咭片一扔。

「她送這許多花幹甚麼？」

「誰知道。」

「這個人很陰險。」

「身體剛養好，別又來第二次。」

「你可要當心，她的心腸比毒蛇還要毒。」

「你教我怎樣當心，今天是我病後復出，總不能不登場。」

「要不要去通知經理，叫他找一個臨時保鏢保護你？」

「非必要時不要這樣做，你不是不知道，最近那些記者先生、小姐，老是釘着我，如果我唱歌也帶着幾個打手，明天我不做頭條新聞的主角才怪。」

「那我祇好加緊警惕，稍不對勁，我立刻通知經理。時候差不多，換衣服吧！」

馬志强爲東尼穿上白色鑲花邊的襯衣，紅色背心，外面是全套白晚禮服，領口夾上一隻紅色蝴蝶呔。

「好美啊！」

「肉麻死了！」東尼看鏡中的自己，簡直是玉樹臨風，潘安再世：「我又不是女孩子！」

「難道美是女人的專有名詞？我說你呀，比許許多多女孩子還要美。」

「算了，我正在煩呢！今晚可不知道會不會失水準。」

「傍晚你回來試音，樂隊領班不是大大稱讚？」

「領班是個千面人，二十年後我再來唱歌，你看他還會不會讚我好？」

「白東尼先生，請出場！」外面有人在叫。

東尼連忙出去，走上音樂台，不得了，夜總會爆棚加位，這一桌是翠珊和她的堂姐史瑪利，那一桌是丁芬妮和她的朋友，還有周寶貝的一桌，名導演莊生和幾個明星，專欄作家，宋太太和她的牌友，忠實歌迷何紳士夫婦……最後，他看見廖夫人。

他當即一呆。幸好如雷的掌聲令他振奮，他拿起米高峯不斷說謝謝，他還和翠珊交換了一個微笑。

在掌聲中，他唱了一首日本歌：再來。一首舊曲：愛情的代價。最後是一首他剛灌了唱片的新歌：情海。

在激烈的掌聲中，與「安哥」聲中，他走下音樂台。

他走進甬道，發覺後面有脚步聲，他立刻加快脚步，他推開了更衣室的門，忽然一個人影由後面閃進來。

東尼定神一看，竟然是唐玉芬。

「妳……」東尼倒退着。

馬志强一個箭步衝向前，用身體擋住東尼，瞪着眼喝問唐玉芬：「妳要幹甚麼？」

「我祇想和東尼談談！」

「沒有甚麼好談的，」馬志强對她滿含敵意：「妳是個有夫之婦，我希望妳尊重自己。」

「我並沒有做甚麼，」唐玉芬哀求着：「我祇想和東尼說幾句話。」

「上一次妳也祇想和東尼說幾句話，結果東尼給妳的丈夫打個半死不活，差點連命都沒有了。妳還想怎樣？非要置東尼於死地不可？」

「那一次我錯了，我眞的錯了！」唐玉芬滿含眼淚：「我今天來，是得到廖先生的同意，沒有人會對付東尼，如果有上次同樣的事情發生，那末我先殺死自己。」

「志强，讓她把話說了吧！」東尼見她怪可憐，於心不忍。

「說，說，有話快說。東尼還要出場，沒空陪妳胡謅。」志强仍是一肚子氣。

「東尼，我想單獨和你說幾句話。」唐玉芬惶惶恐恐。

「好吧！祇能說幾句，我忙着。」東尼對志強說：「你在外面看着。」

「東尼，你可要當心，這個女人，比毒蛇還要毒呢。」

東尼拍了拍志強的肩膊，示意叫他出去。

志強走出去，用力拍上了門。

「東尼，我向你道歉，」唐玉芬誠心誠意的說：「你受了傷，我很難過，我曾經為你和廖先生吵得很兇，我還要和他離婚。」

「甚麼？妳要和廖先生離婚？」東尼大吃一驚道：「那麼，我的罪更大，這一次，廖先生一定會要我的命。」

「你不用擔心，我也曾考慮過你的問題，正如你說的，如果我和廖先生離婚，他一定不會放過你。因此，我改變了主意，我決定和廖先生移居加拿大。今天，我是來向你告別的。」

「妳要去加拿大？」

「這本來是廖先生的主意，他在加拿大有生意，他早就要求我去加拿大定居。但是，我一直捨不得……你，我以為總有一天……別提了！」唐玉芬苦笑一下：「今晚是我最後一次來聽你唱歌，以後，我再也不會來了！」

「謝謝妳送給我那許多花。」

「那算不了甚麼，就算我把全香港的花買下來送給你，也不能補償你身體上所受的傷痛。」

「過去的事別提了，祝妳在加拿大生活愉快，祝妳和廖先生夫妻恩愛。」

「謝謝！」唐玉芬打開手袋，取出一隻小型禮物盒：「下一個月十五日是你的生日，我先把禮物送給你！」

「玉芬，噢，不，廖夫人。鮮花我可以收下，但是禮物我不能接受。」

「收了吧，這是我最後一次給你送生日禮，算是留個紀念。」唐玉芬拉開房門，她說：「我走了，再見！」

「廖夫人……」

志強一手拖住他說：「她肯走應該感謝上帝，還追甚麼？換衣服吧，給她煩了半晚。」

「她要離開香港，移居到加拿大了。」東尼脫下白西裝：「她是來向我道別的。」

「是嗎？」志强爲東尼穿上一件金色的外衣：「她走了我們可以減少許多麻煩。」

「對了，她送了一份生日禮物給我，不知道是甚麼東西？」

「拆開看看！」

東尼把絲帶和花紙拉開了，揭開絲絨盒子一看，閃閃生光，是一套鑽石袖口鈕和呔針，呔針和袖口鈕後面都刻着東尼的名字。

「好名貴！我怎能接受她這樣貴重的禮物？」

「呔針上的那一顆單頭鑽石，起碼有一卡拉。」

「還給她，」東尼吩咐志强：「立刻拿出去還給她！」

志强連忙走出去，好一會，他垂着頭回來：「她已經走了，桌子也換了人，找不到她了！」

東尼接過錦盒，無限感觸。

＊　　＊　　＊

翠珊一看見東尼，就說道：「東尼，我要告訴你兩件事：第一，關於我們的婚事，我已經和爸爸說過了。」

「他的反應怎樣？」東尼忙着問。

「不反對也不同意。」

「那等於零。」

「我爸爸是個老頑固，他不反對，那就等於默認了。」

「那我甚麼時候去拜訪他老人家？」

「現在還不是時候，等我回來，我立刻帶你去看他。」

「等妳回來？妳去哪兒？」

「去意大利。」

「去意大利？」東尼心底突然湧起一股寒意：「爲甚麼突然要去意大利？」

「媽媽出國旅行，你是知道的。今天早上，我接到她的長途意話，她說他在意大利病了，要我去接她回來。」

翠珊還沒有走，東尼心裏已經有依依不捨的感覺。他整個人頹喪起來，無精打采的問：「妳去多久？甚麼時候回來？」

「東尼，」翠珊見他臉色變了，便柔聲問：「你怎麼了？」

東尼用兩隻手合起來，精神却分散着：「我們認識以後，從來沒有分開過。」

「誰跟你分開了？我來回祇不過去一個星期。」翠珊撫着東尼的臉：「等我接媽媽回來，我們立刻辦喜事，這樣，我們就可以永遠在一起。」

東尼捉着她的手，吻着她的手指說：「我和妳一起去好不好？」

「這主意不錯，不過你出國要辦手續，辦出國手續要花許多時間，而我，明天就要走了！」

「明天那麼快？翠珊，我眞的捨不得妳！」東尼把翠珊擁進懷裏，他的心情很特別，總是害怕翠珊去了不回來。

「你這麼一說，我心裏好難過，我不知道你這樣需要我。」翠珊用兩條手臂繞着東尼的脖子。

「那妳就不要去，我們每天見慣了，突然一個星期不能相見，這七天，叫我怎樣過？」東尼用力抱住翠珊，好像怕她飛走似的。

「東尼，聽話，讓我把媽媽接回來。媽媽會代我們說服爸爸，她會助我們一臂之力。」

「要是妳不回來呢？」

「我怎會不回來？我在意大利幹甚麼？」

「妳本來一直在外國，誰知道妳在意大利有沒有男朋友？」

「東尼，你想到哪裏去了？」翠珊輕輕推開東尼，注視他：「就算我有男朋友在外國，我也絕對不會爲了他離開你。我在外國這些年，的確認識了很多男孩子。可是，我坦白告訴你，從未有一個人，能像你那樣令我傾心。」

「眞的？」東尼有點開心，臉上有一絲笑容。

「其實，要擔心的應該是我，我走了，你那些周寶貝、丁芬妮……甚麼的，一定會來纏你，說不定我由意大利回來，你已經變心了！」

「我是在女孩子中成長的，我見過各式各樣的女孩子，可是，我從來沒有想過要愛她們。我很相信緣份，我第一次看見妳，已經對妳留下深刻的印象。」

「我和你的感覺是相反的。雖然，你第一次給我的印象，是英俊得出奇。可是，我向來不大喜歡小白臉型的人，因此，我並不打算認識你。但是，自從你那一次救了我，我就開始愛上你。」

「妳是爲了報恩？」

「不，我不會用愛情去報恩。我愛上你，是因爲你把我救上遊艇，我們那麼接近，你吸引了我，令我傾心。」

「翠珊，我們將來會結婚的，是不是？」

「一定會結婚，如果我不能嫁給你，我會終生痛苦，可能你認爲自己很愛我，可是我愛你更甚於你愛我百倍。我能夠做你的妻子我感到光榮，因爲我曾打敗許多對手，而我的丈夫又是這樣成功。」

「好會說話的一張嘴。」東尼輕吻一下她的嘴：「妳說得我心花怒放。」

「東尼，我求你，讓我把生病的母親接回來。」

「好吧！盡快回來，妳知道我多想妳！」

「我也想你，我會每天給你長途電話！」

午夜十二時，志强把東尼的衣服拿到車上，然後和東尼由夜總會的後門出來，準備由志强駕車送東尼回去。

突然，一輛黑色「勞斯萊斯」駛停東尼的身旁。車內有三個穿黑色西裝的大漢走出來，攔住東尼的去路。

東尼一愕，退後幾步。

「白先生，請上車。」其中一個大漢打開車門。

「你們要幹甚麼？」東尼唯恐歷史重演。

「白先生，別擔心，我們不會傷害你的，我們祇是奉主人之命，請你去見他老人家。」

「你們的主人是誰？」

「史老爺！請吧！主人在等着。」

「對不起，我現在沒有空。」東尼感到不對勁：「等你們小姐回來，我再去拜候史老爺！」

「不行，」大漢摸向腰間，拔出一支手槍，指住東尼的腹部：「上車，快！」

東尼在槍口下，無可奈何的上了車，一個大漢立即跟進去，東尼被兩個人挾持着。

志强也要上車，拿槍的大漢把他一推說：「史老爺可沒有請你！」

志强由地上爬起來，叫着：「東尼，東尼，你不用怕，我會報警。」

「不准報警，」大漢喝道：「你再吵我就一槍把白東尼斃了！」

「志强，不要張揚，」東尼顫着嗓門：「回家等我，我很快回來。」

「勞斯萊斯」很快的開走了，志強爲了東尼的安全，他連哼一下都不敢。

汽車一直駛，並沒有走向史家那條路，却朝一條僻靜的公路駛去。

「你們到底把我帶到哪裏去？」

坐在司機位側的携槍大漢說：「史老爺在別墅等你！」

怪不得，東尼從未到過史家別墅。

汽車駛了一大段路，終於，在一間圓形的屋子前面停下來。

三名大漢押着東尼進去。

東尼心慌意亂，可沒心情觀看屋內的富麗堂皇，華貴無比。

在一間房門前，携槍大漢輕輕敲了兩下門。原來是一扇電動門，門的開關，由房內人控制。

房門自動打開了，東尼被推着進去，那是一個書房，在一張大辦公桌後，坐着一個矮瘦的老年人，大約五十四五歲的樣子。

「白東尼先生？請坐。」老年人很有禮貌。

「請問你是？……」

「翠珊的爸爸。」他笑一下，問：「白先生，你要酒？要咖啡？還是要茶？」

「我不要，謝謝！」東尼如坐針氈。

「你們都出去吧！」史老爺揮一下手：「在門外等着！」

三名大漢退出去，史老爺按一下電鈕，門又關上了。

「史老先生，請問有甚麼吩咐？」

「談談！」史老爺吸了一口雪茄：「翠珊對我說，她要嫁給你！」

「請史老先生玉成。」

「你喜歡我的女兒，大概是看中她的錢。不錯，像這樣的別墅，我還有幾間。不過，白先生，你是打錯了算盤。我們史家是不會要一個賣唱的女婿，那實在不配，大大的不配。」

「史老先生，我是眞心愛令千金的。」

「你是否愛她，我可不管，最重要的，還是我的家聲，所以，我乾脆告訴你，我絕對不會把翠珊嫁給你！」

「可是翠珊說，你沒有反對。」

「翠珊是個傻瓜，她沒有甚麼分析能力，比如這一次，我叫她媽媽假裝有病，就把她騙到意大利去，她今天早上飛走的，你應該知道。」

「她不再回來了？」

「她會回來的，這兒是她的家。」

「那末，等翠珊回來，我再來拜候史老先生。」東尼站了起來。

「坐下。有甚麼事，我們最好現在解決。因爲，你永遠不會再見翠珊。」

「甚麼？」東尼一愕：「你要把我怎樣？」

「我要好好待你，這兒有一張一千萬的支票，你拿着，如果嫌錢少，我可以加一倍。」

「我不要你的錢，我愛的是翠珊，不是錢。」

「你要不要錢，一樣要和翠珊分手。」

「我不會，等翠珊回來，我立刻和她結婚。」

「夢想！」史老先生乾笑幾聲。忽然他臉一板，樣子好嚇人：「今天我把你找來，是要你辦一件事：在翠珊未回來之前，你要和另一個女人結婚。」

「除了翠珊，我不會和任何人結婚。」

「你身邊不是有很多美女嗎？隨便選擇一個就行了。而且，我還可以送新娘子一筆巨款。」

東尼感到莫大的侮辱，一個慣於受人崇拜與奉承的人，怎麼可以忍受史老爺的態度？東尼冷冷的回答道：「你省了吧！你把女兒嫁給我，連嫁粧也可以免了！」

「你有沒有想過，如果你不和我合作，後果會怎樣？」

東尼想到被人毒打的一幕。他一昂首說：「你要打要殺隨便你！可是，我決不會放棄翠珊。」

「年輕人的愛情眞偉大，你肯爲翠珊犧牲，我相信。可是，如果你眼看翠珊爲你而死，你有甚麼感想呢？」

「我不明白你的意思。」

「我計劃分開四個步驟。第一步，如果在翠珊未回來之前，你仍然未能合作，那末，她一下飛機，我就派人打斷她的腿。如果你仍然和她來往，那末，我割掉她的耳朵。第三步是砍去她的手。至於第四步，我不說你也應該明白了，她是死無全屍呢！」

「不，不，不可能，你怎可以這樣狠毒？」東尼全身發冷。

「狠毒？也算不了甚麼，我是寧爲玉碎，不作瓦全。」

「但是，翠珊是你的女兒。」

「女兒又怎樣？她既然不聽話，殺了算了。反正她死了，我還有四個女兒，我絕不希罕她。」

「你……你敢傷害翠珊，你不怕法律？」

「你放心，我不會自己動手的，其實，祇要有錢還怕沒人效勞？」

「你眞卑鄙！眞兇殘！」

「你也許說得不錯。白先生，你聽着，我女兒的生命就在你的手上，你回去好好考慮一晚。不過，可要快一點，別等翠珊四肢不全的時候才決定……」

東尼在家裏的大客廳呆坐了一晚。

志强早就被他趕回家，昌伯也不敢露面，一直躲在客廳的大門外窺望，擔心東尼發生事故。

東尼一夜沒有睡，昌伯也一夜沒有睡。

快天亮的時候，電話鈴響了，昌伯跑去接聽：「少爺，請聽電話！」

「誰？」東尼粗聲問。

「是晶晶小姐。」

「告訴她，我沒有空。」東尼煩躁地走出露台。

他又在露台坐了一個下午。

黃昏，昌伯又來請他聽電話。

「不聽，不聽。」東尼揮着手。

「電話裏的先生說，是有關史小姐的。」

「翠珊？」東尼連忙走進屋子一手提起電話筒：「哪一位？」

「白東尼先生嗎？我是史老爺的保鏢兼打手。今天是星期三，我們小姐星期日就回來了，老爺叫我問你，小姐回來的那一天，你喜歡她右腿先斷呢？還是左腿？」

「你們不是人！」

「我們是奉命行事的，當然聽史老爺的命令。不過，白先生吩咐，我們一樣會照辦。」

「你們動她一根頭髮，我會報警。」

「你在這兒報警，史老爺可以派人去意大利動手。白先生，你也去意大利報警嗎？」

「你……你們……」

「白先生，你還沒有吩咐我，我們該先砍小姐哪一條腿，你不喜歡玉腿，粉臂又怎樣？」

東尼打了一個寒噤，他吶吶的說：「星期日，我會和別人訂婚。」

「那好極了，史老爺說，爲了表示你的誠意，請你寄一份請柬給我們小姐。」

「你們這些禽獸！」

「也總比沒手沒腿的史小姐好看吧？」

「好！我派人送請柬去！」

東尼掛上電話，立刻又撥電話到周家，他好急、好煩、好擔心。

終於找着了周寶貝。東尼一開口就問：「妳還願意嫁給我嗎？」

「東尼，是你向我求婚嗎？」

「是的！」東尼的聲音，完全沒有感情。

「我願意，我當然願意。」

「星期日我們訂婚，妳要籌備一個盛大舞會。」

「星期日？才祇不過三天時間，哪能趕得及？」

「趕不及算了，我會找別人。」

「不要找別人，我一定趕得及，相信我，東尼，我一定會辦妥。」

「立刻去辦，多找些人！」

「你來一次好不好？我們也得談談。」

「好吧！我晚上來！」

東尼剛放下電話，志强就來了，志强說：「我來接你上夜總會。」

「今晚我不唱，替我請假。還有立刻替我找一間印刷廠，替我印一百張請柬。我要和周寶貝訂婚。」

「東尼，你怎麼了？你不是不愛周小姐嗎？你愛的是史小姐。」

「我現在不愛她了，我星期日訂婚，請柬明天就要，叫他們快一點，價錢可以出雙倍。」

「東尼，你怎麼可以和周小姐訂婚的？史小姐回來……」

「我喜歡跟誰訂婚，你管不着，快，快去辦你的事。」

「東尼，你一定瘋了，你怎對得起史小姐？」

東尼淚向肚中流，他祇有用大發脾氣掩飾自己：「你才瘋，你知道我娶寶貝有多少好處？你知道周家有多少錢？笨蛋！」

「你……爲了錢？」

「我唱了這些年，厭了，我要過舒服日子，我要享福。」

「史小姐也很有錢。」

「昨晚我跟那史老頭談過了，他不肯給我錢，一角錢也不給。」

「東尼，你變了！」

「無論我變成甚麼樣子，我們始終是好朋友，去吧！爲我辦點事。」

志强嘆着氣點頭。他說：「還有一件事我要告訴你，晶晶，她……」

「不要再說了，星期日我就要訂婚，我們有許多事要辦。」東尼急嚷着：「你先去周家聯絡一下。」

「我不說了，希望你看看晚報。」

東尼哪兒有心情看報紙，他洗了一個澡，換了衣服，便準備去周家。

他打開大門，看見一個男孩在張望，他看到東尼，立刻走過去問：「請問這兒是不是姓白的？」

「你找誰？」

「白東尼先生。」

「我是白東尼，有甚麼事？」

「今天早上大概六點鐘，有一位小姐叫我晚上八點鐘，把信送來給你！」

東尼接過信，把一個十元硬幣放進孩子的掌中。

「我不能要你的錢，先生，因為那位小姐給了我一百元。」孩子說着，轉身溜了。

東尼看了看那封信，認得是晶晶的筆跡，晶晶祇讀過幾年書，字很難看。

「她怎麼老是找我？」東尼不耐煩的拆開信，在門口的那盞大燈下，他看得一清二楚。

東尼：

當你看到這封信的時候，我已經離開了這個世界，相信你在一些娛樂報上，也看到這項消息。

死，我一點不可惜，最遺憾的，是我死前不能跟你談談，我曾經打過電話給你，你正在忙着，不過不要緊，我可以把要說的話寫下來。

如果你問我爲甚麼要自殺，那我可以告訴你，我活夠了，實在不想活下去，同時也沒有要我留下來的理由。當你感到絕望的時候，死是不是最好的解決？

等新墳建好，你來看看我，送我一枝玫瑰花，好嗎？

最後，我用僅有的一秒鐘爲你祝福，願你快樂！

晶晶絶筆

＊　＊　＊

「噢！晶晶，晶晶。」東尼伏在大門上低喚：「我對不起妳，原諒我……」

翠珊一踏脚進家門，史老爺立刻把她拉過一旁，他在口袋裏拿出一張白底金字的喜咭。

翠珊拿起一看，她驚叫起來：「東尼和周寶貝在今天訂婚，怎麼會？」

「請帖是他本人親自送來的。」史老爺說：「我記得你曾經對我說過要和這個白東尼結婚的，接到這張請柬，我也嚇了一跳。」

「我要打一個電話。」翠珊匆匆撥了電話號碼，電話接通了，他忙着問：「昌伯，東尼在嗎？」

「妳是史小姐，少爺和馬先生去了周家，他們要很晚才回來。」

翠珊掛上電話，她焦急而混亂，她對一直跟着她的史老爺說：「怎麼辦？我立刻去周家好不好？」

「算了吧！他既然已經變心，和別人訂婚，妳還留戀他幹甚麼？」

「不，在他訂婚之前，我必須和他見一次面，我要弄清楚這件事。」

「他請柬都派來了，妳還要知道些甚麼？難道妳眞的要聽他說：翠珊，我不再愛妳？」

「是的！如果他親口告訴我，他已經不再愛我，那末，我的心死了，我們之間也完了。」翠珊拿起手袋：「我現在就去周家。」

「翠珊，妳不要去，周家正在辦喜事。妳一個人跑去鬧事，主人家當然不歡迎妳，而且，妳還會受到周家親友的奚落。」

「那我怎辦？我絕不能讓東尼和周寶貝訂婚。」

「孩子，妳眞的要和東尼面對面的說一次？」

「是的！」

「妳不後悔？」

「我爲甚麼要後悔？」

「現實是殘酷的，如果東尼說他不再愛妳，妳受得了嗎？」

「爸爸，正如你所說的，男人變了心，拉也拉不住，我對他，已不敢抱太大的希望，我祇是想盡最後努力，希望他能改變主意。」

「要是他一意孤行呢？」

「那我祇好認命。」

「好吧！我為妳安排一切。」史老爺點一下頭：「妳先去洗把臉，換一件衣服。」

翠珊點了下頭，事到如今，她已心亂如蔴，不知所措。

回到房間，望着鏡子，淚一顆一顆流下來。

也不知道過了多少時候，史老爺在她的房門外低聲叫：「翠珊！」

翠珊拉開房門，史老爺向她全身打量：「妳還沒有換衣服？」

翠珊緩緩搖一下頭。

「我已經把東尼接來了，他在書房等妳！」

「啊！爸爸，你眞好，」翠珊抱住史老爺，哭着叫：「謝謝你。」

翠珊直奔下樓梯，穿過大廳，穿過走廊，來到書房的門前，她按着胸口喘一口氣，定定神，才推開了書房門。

東尼穿着白色的禮服，他形神憔悴的站在窗前。

東尼聽見足聲，看見翠珊，他既喜且悲。

喜的是：和愛人小別重逢。悲的是：剛才史老爺的保鏢接他來的時候，在車上，已經對他加以警告和指示。

「東尼！」翠珊站在他的面前。

「嗯！」東尼不自然地側過了臉。

「告訴我，你是不是眞的要和周寶貝訂婚？」

「請柬都發出了。」

「你以前不是說過你愛我，你答應和我結婚，爲甚麼我們才分離一個星期，你就變心了？」

「因爲我厭倦了歌唱生涯，我要享受，我要過舒服的日子。」

「周寶貝給了你些甚麼？」

「發德洋行，還有幾間分公司。」

「大約值多少錢？」

「六億萬或者八億萬。總之，寶貝能令我生活得舒服。」東尼始終背着翠珊。

「你喜歡錢。好吧！我就給你錢。」

「我不要妳爸爸的錢！」

「爲甚麼恨我爸爸？」

「因爲……因爲我們見過面，我們談不來。」

「你旣然不喜歡我爸爸，那末，就用我私人的錢吧。」

「妳的錢，就是妳爸爸的錢，我不要！」

「我的錢絕對不是爸爸的錢，我的姑母無子無女，她死後留給我大約九億元，我把九億元全給你。」

「我，我……」

「祇要你仍然愛我，我願意把我的一切都給你。東尼，不要和周寶貝訂婚，我求你！」翠珊拉着東尼的手臂，苦苦哀求。

東尼强瞪着眼睛忍住了淚，他感到好累好痛苦，他說不出話。

「東尼，你眞的這樣狠心，難道你不知道我不能失去你？」翠珊哽咽着，臉上的淚像斷了綫的珍珠。

東尼眞想和她抱頭痛哭，但是想到她的安全，他立刻硬着心腸，一手甩開她：「妳怎麼這樣討厭，我已經不再愛妳了，求也沒有用。」

「你眞的變了！」翠珊靠在牆上，人軟軟的，全身氣力好像都被擠掉了。

「我沒有變，本來我一直就喜歡周寶貝，妳去了意大利這幾天，我和她相處很好，我要娶她！」

「既然如此，我也無話可說，我祝福你。」翠珊脫下手上的戒指，交給東尼：「我們完了！再見。」

東尼拿着戒指發呆，連翠珊離開書房他都不知。

他撲在窗框上飲泣，他的心片片碎了。

完了，一切都完了，他可以不必再回周家，因爲戲已演完了。

惘然離開史家，一個人在路上走，不知道何去何從。

由下午到黃昏，由黃昏到晚上，他一直蹓躅街頭。

也不知道走了多少個鐘頭，街上沒了行人，想必深夜了，而他也實在走不動，於是，他衹有回家。

門打開，意外地，看見史老爺和他的幾個保鏢在屋裏。

他轉身想走，史老爺追上前，捉住他：「快跟我回家！」

「我和你的女兒已經完了，而且我也決定明天離開此地。」

「你不能走！你要留下來，你要和我的女兒結婚。」史老爺道。

「你……瘋了？」東尼掙扎着：「你們有錢人眞會尋開心，一會兒要我離開你的女兒，一會兒又要我和你的女兒結婚。」

「今非昔比，我衹得把話收回來。」

「你不是說過寧爲玉碎，不作瓦全？你不是說過，你寧願殺死翠珊，也不會讓她嫁給我？」

「我是隻紙老虎，裝個模樣嚇人，我以爲祇要把你嚇跑，你和翠珊就完了。誰知道結果却害了我的女兒。」

「你不是要斬翠珊的手、砍她的腿、割她的耳朵？」東尼給弄糊塗了。

「全是假的，其實，我連罵她一句都捨不得。」史老爺垂下了頭：「翠珊是我唯一的親生女兒。」

「翠珊的姐姐……」

「四個都是領回來養的，我和翠珊媽媽結婚幾年都沒有生養。我們怕寂寞，所以一年領養一個，直至生了翠珊。你說，我怎能不疼她？」

「她是你們家的寶貝，難怪你不肯把她嫁給我。」

「現在情形不同，我絕對歡迎你做我的女婿。」史老爺拍着東尼的肩膊：「你才是我的眞女婿，你才是我的半個兒子。」

東尼就更莫名其妙了，他聳聳肩問：「甚麼事情令你改變初衷？」

「因爲我的女兒需要你，快，快跟我回家！」

「不，老爺，應該去醫院，小姐還在醫院。」

「醫院？」東尼一愣：「誰進了醫院？」

「先上車，上了車我再詳細告訴你。」史老爺直把東尼拖出去，又推他上車。

在路上，東尼忍不住問：「誰進了醫院？」

「翠珊。翠珊喝了一瓶酒然後跳海自殺！」

「啊！」東尼驚叫着：「她怎樣了？」

「我來的時候，她仍然在半昏迷的狀態，她不停的叫你的名字。」

「翠珊！」東尼低叫着。他用力推那司機：「開快點！開快點……」

到醫院，東尼奔跑進去，他像一隻瞎了眼的蒼蠅亂跑。史老爺抓住他說：「在這邊，跟我來吧！」

看見史夫人，史老爺忙着問：「孩子怎樣了？」

「半睡半醒，一直叫着東尼。」

「你快進去看她，我們等着。」史老爺推開病房門讓東尼進去。

東尼走近牀邊，看見翠珊閉上眼睛，臉白如紙。

東尼撫着她的臉，越看越心痛，他忍不住伏在床邊痛哭起來。

「嗯！」翠珊輕微動了一下，東尼搖着她低喚：「翠珊，妳醒過來，看看我！」

「東尼，東尼……」

「東尼來了，妳看看我，求妳看看我！」

翠珊微微張開眼睛，看見東尼，就用力把眼皮睜開：「你……是你……」

東尼握着翠珊的手，把她的手貼在他自己的臉上：「翠珊，妳爲甚麼自殺那麼傻？」

「是你由海上把我救起來的，你既然不愛我了，我……要把……生命放回……海上。」

「我因爲太愛妳，所以才拒絕妳，妳爸爸說過，如果我不離開妳，他會殺死妳的。」

「爸爸，他？……」

「都是我不好。」不知道甚麼時候，史老爺走進病房：「東尼是眞心愛妳的，他對自己的生命完全不在乎。但是，他却不讓我傷害妳，他所做的一切都是爲了妳。」

「眞想不到。東尼，要是我眞的死了那多笨。」翠珊臉上的笑容拂掉了淚水。

「我才笨，」東尼低頭吻一下翠珊：「給妳爸爸騙倒了！」

「我們不要管他，他不喜歡你，我離開家庭。」翠珊緊握東尼的手，她的臉色已逐漸好轉。

「誰說我不喜歡東尼？」史老爺連忙發言唯恐不及：「東尼英俊、聰明、强壯，他將來一定是個出色的銀行家。」

「對了！在我們幾個女婿當中，東尼最討人喜歡。」史夫人也走了進來：「翠珊眞夠眼光。」

「簡直天生一對！」史老爺咧着嘴笑。

「瞧！高帽都飛來了！」翠珊和東尼相視而笑。

東尼從袋裏拿出指環把它重新套在翠珊的手上。

「以後可不准隨便把它脫出來。」東尼合上她的手。

「遵命！」

「以後也不准到海灘去！」

「我才不敢呢，第三次恐怕它會要掉我的命。」

東尼和翠珊互相凝視，彼此的眼中充滿了愛！

（完）

背人垂淚到天明

細雨濛濛。

秋日黃昏，襯着灰色的天幕，顯得份外淒涼。

梅蘊仙隨着人羣魚貫下機，秋風飄起她的裙袂，她按一按衣服，無精打采地進入檢查站。

剛踏脚出閘口，她聽見有人喊她——

「蘊仙，我們在這邊！」

蘊仙隨着聲音掉轉頭，她看見一個瘦削的婦人向她熱烈地揮着手。

蘊仙仍然認得出許老太，她心裏有點興奮，加快脚步，走到許老太的身邊，

許老太立刻抓着她的手，愛憐地端詳着她：「可憐的孩子，比六年前瘦得多了，梅老太的後事，都辦妥了吧？」

「辦妥了！」蘊仙的眼睛微微發紅，聲音也有點哽咽：「隣居的五嬸，幫了我

很大的忙。」

「別難過！」許老太眨了眨眼睛，不讓淚水浮出來：「我們一家人都會待妳好，令妳快樂！」

「伯母！」蘊仙往許老太懷裏一靠，低泣起來。

「別哭，乖孩子別哭……」許老太輕拍着蘊仙的背：「妳抬頭看一看，思瑤也來了呢。」

蘊仙立刻壓制心裏的創痛，她像她母親一樣，習慣於隱藏悲傷，她用手帕拭去淚痕，然後抬起頭來，看見許老太身邊站着一個穿紅色衣服的少女，她美麗極了，雪白的鵝蛋臉兒，長髮垂在背上，額前有劉海，她正瞪着一雙明亮的大眼睛望住蘊仙。蘊仙在馬來西亞住了六年，從未見過這樣粉粧玉琢的美人兒，她迎上前，熱情的叫着：「思瑤！」

「她就是？……」思瑤愕然望着她的母親。

「連蘊仙姐姐都忘記了，還嚷着來接機呢，見了面都認不出來，笨丫頭。」許老太笑罵着。

「媽，妳不是說，蘊仙姐姐祇比我大一年多嗎？」思瑤抿了抿嘴說。

「對呀！蘊仙才祇不過十八歲。」

「十八歲？」思瑤再從頭至尾看了蘊仙一眼：短短的頭髮，鬢上有一朵小白花，皮膚蒼白得叫人怕，身上穿一件全不講究身段美的灰色衫裙，脚上是一雙平底黑皮鞋，連高跟鞋也捨不得穿一對。無可否認，她的五官都長得很整齊，像日曆板上的古裝美人一樣，鷄心臉，長眼睛，新月眉，櫻桃嘴，但神態却老氣橫秋，一點青春活力也沒有，彷彿像個老太婆。

許老太知道女兒向來任性，她怕思瑤會對蘊仙說些令人難堪的話，因此她連忙說：「我最喜歡蘊仙這樣樸樸素素，誰像妳，整天穿紅換綠，打扮得蝴蝶兒似的，我看得頭都昏了。喂！思瑤，妳呆看些甚麼？還不替蘊仙姐姐接過手中的行李？」

思瑤懶洋洋的走過去，蘊仙自然不會讓她拿，兩個人你爭我奪的，許老太說：「蘊仙，讓她拿，別寵她！」

思瑤大力搶過蘊仙手中的皮篋，然後蹬着高跟鞋領頭先走。

許老太拖着蘊仙的手說：「我們的汽車泊在那邊，先回家去洗個澡，吃點東西，然後舒舒服服睡一覺，晚上我請妳去看電影。」

「謝謝伯母！」蘊仙回頭看了看，好像在找尋甚麼，許老太相當聰明，她不露痕跡的說：「昨天思棣收到妳的電報，早就和思瑤約好要來接機，今天我們公司一個小股東突然要召開股東會議，我們是大股東，思棣又是剛從學校出來的黃毛小子，如果他不出席會議，人家會怪他擺架子，所以，思棣托我千萬要向妳道歉。蘊仙，妳不會怪思棣沒有來接機吧？」

「他爲了公事，我怎會怪他？」蘊仙輕聲說。

「眞是好孩子，又明理又大方。」許老太讚賞着。那時候，司機亞興已經迎上來替思瑤接過皮篋，蘊仙看見思瑤鑽進一架黑色的大房車去。

許家是富有人家，住九龍塘，傭人比主人還要多幾倍。

蘊仙本來也是豪門千金，但是自從七年前，梅老先生生意失敗之後，蘊仙一家搬去南洋，生活就清苦得多了，因此，當蘊仙隨着許老太，走進許家那豪華客廳的時候，她禁不住有點膽怯。

幸而許老太對她特別體貼愛護，她眼看着蘊仙吃過點心，一面吩咐傭人替蘊仙準備熱水洗澡，一面帶蘊仙上樓休息。

「這是妳的房間，我親手佈置的，喜歡嗎？」許老太推開一扇門對蘊仙說。

蘊仙走進房間，粉紅色的牆，粉紅色的傢具，粉紅色的床，粉紅色的窗紗，床頭枱上，還放着一個穿粉紅色衣服的洋娃娃。

蘊仙走過去抱起洋娃娃，她很久沒有玩娃娃了。

「蘊仙，佈置得合妳心意嗎？」

「許伯母，妳這樣疼我，我……」蘊仙的眼睛又浮起淚光。

「別這樣子，妳要是再哭一次，我就不疼妳了。」許老太假裝生氣：「脫掉鞋子，穿上拖鞋舒服一下，就快可以洗澡了。」

「許伯母，其實我一點也不倦……」

「不倦也得休息，」許老太替她拉上房門：「洗澡後上床睡一會，我不吵妳了。」

蘊仙放下洋娃娃，她開始把皮篋的衣服搬出來。

突然有人旋開門球，蘊仙定一定神，看見思瑤直走進來。

「是妳，思瑤。」蘊仙立刻放下手中的衣服：「請坐吧！」

「不用客氣，我祇不過進來忠告妳幾句。」

「忠告？」蘊仙有點惶惑：「我有甚麼地方不對，請妳指教我。」

「妳的確需要有人指教一下，」思瑤鎖起眉頭翻了翻衣服：「這些衣服都是妳的？」

蘊仙點了點頭。

「全都是梅伯母的遺物？」思瑤故意這樣說。

提起遺物，蘊仙心裏就發痛，她哽咽着說：「媽媽比我瘦，她的衣服我穿不下，這些衣服……」

「如果是妳的衣服，沒有理由全是黑的、白的、灰的。」思瑤把手中的衣服一摔：「妳今年祇不過十八歲，爲甚麼要扮成老太婆？」

「我……」

「妳追不上時代，太落伍了。」思瑤把兩隻手放在背後。

「希望妳指教我。」

「我坦白告訴妳吧！如果妳想得到大哥的歡心，那末，妳就要留心一下自己。」思瑤大模大樣的說：「別穿這種老太婆衣服，輕鬆一點，時髦一點，明白嗎？」

「我明白了！」蘊仙低垂着頭：「謝謝妳！」

「還算聽話！」思瑤點着頭：「大哥最喜歡橙紅色，以後多穿紅色的衣服，大哥不會喜歡死死板板的女孩子。」

「可是，我正在守孝呢！」

「那隨便妳！」思瑤昂一昂頭：「或許妳根本沒有興趣做我的大嫂。」

「思瑤，我……」蘊仙着急地叫住思瑤，但是她又不知道該怎樣表白心事。

「妳當然渴望嫁給我的大哥了。」思瑤嘲弄地笑一笑：「我的思棣大哥又年輕又英俊，又有錢，別說妳，還有千千萬萬的女孩子想嫁給他呢！」

「妳有一個好哥哥，眞好福氣。」

「妳才好福氣，因爲媽媽看上妳，思棣就輕而易舉的屬於妳的了，妳知道，有多少女孩子敗在妳的手上？」

「那……我很抱歉。」

「妳向我說抱歉是沒有意思的，不過有一點，妳不能不知道，哥哥是個出名的孝子，也聽從媽媽的話，跟妳訂了婚他的人妳是得到了，可是他的心呢？」

「他的心？」蘊仙瞪大了眼睛，她很難明白思瑤的意思。

「如果妳想得到他的心，首先要注意修飾自己，妳……」

思瑤坐下來，正要詳細說下去，突然，外面傳進許老太的叫聲：「思瑤，妳在蘊仙的房間吵甚麼？快出來，讓蘊仙洗澡休息。」

思瑤無可奈何的站起來，她臨出門口的時候，回過頭來，冷冷的說：「趕快買一枝唇膏，妳的嘴白得像個逃犯。」

她重重的拍上門，蘊仙整個人跳了起來，她知道自己有點神經衰弱，否則，這一點兒門聲也不至於令她這樣震驚。

蘊仙抓着那些灰的、黑的、藍色的衣服頹然坐在床上，她木呆地想，思瑤是不喜歡她的，她一踏進許家便有了苦惱。

她低頭撫一撫懷中的黑色旗袍，也許就是這些土氣的衣服令思瑤生厭，其實，哪一個年輕少女不喜歡顏色嬌艷的衣飾？但是，她剛剛死了母親，最少也得守孝三年，在這守孝期中，她是不能穿任何一類顏色鮮艷的衣服。

這是鄉規，何況她又這樣愛她的母親，想到亡母，她的淚又淌了下來，一串串的落在黑色的旗袍上，美得像一串斷了綫的珍珠。自從父親死後，幾年來，母女倆相依爲命，她常常這樣對自己說：「在這世界上，我祇有一個母親。」

現在，連唯一的、深愛她的母親也病死了，當梅老太還剩下最後一口氣的時候，她抓住女兒的手說：「我可憐……的孩子，立刻到香……港去……投靠許家，這是……妳唯一的歸宿。」

是的，許家是她唯一的歸宿，她早就知道了，可是，她總覺得這次來得不是時候，如果母親不是死得太早，那末，她可以在較好的安排下，和許家的人會面，現在，她懷着悲愴的心情來到許家，就彷彿是個寄人籬下的孤女。

還有更不巧的是，思棣今天要參加董事會議，不能接機，否則，能聽到他幾句安慰話，也許她的心情會好些。

分別六年，不知道思棣長得怎樣了，在分手的最初幾年，梅蘊仙常常收到他的信和相片，但是最近幾年間，她很少收到思棣的信，偶然有一封，也祇不過短短幾行字，從許老太的信裏，她祇知道思棣很忙。

蘊仙是一個明理、肯體諒別人的女孩子，她不祇不怪思棣，還擔心會忙壞了他。

想到思棣，蘊仙發出了幸福的微笑，她太愛思棣了，六年的分別，不能令她對思棣的愛稍減，反而加深了她的刻骨相思。

思棣，你回家了沒有？我想你！

「咯」！「咯」！「咯」！

有人在外面敲門，蘊仙直覺地認爲是思棣回來了，她從床上跳起來，撫撫頭上的亂髮，又咬一咬嘴唇（令嘴唇有點血色），飛快地走去開門。

「梅小姐！」

「啊！」原來是一個女傭人，蘊仙失望地，連笑容都凝住了。

「我叫亞寶。」白衫黑褲的俏傭說：「老太派我來做妳的近身。」

「亞寶姐。」蘊仙很有禮貌的招呼她。

「叫我亞寶好了。」亞寶笑笑說：「梅小姐，妳需要洗澡了嗎？」

「啊！眞的，我連洗澡都忘了。」

亞寶走進來掩上房門：「我來替妳調洗澡水。」

「調洗澡水?」蘊仙走前幾步,說:「讓我自己來吧!」

「別客氣,小姐。」亞寶朝着浴室走。

蘊仙本來想攔住她,可是亞寶已經敏捷地鑽進浴室,蘊仙站在外面有點不知所措,她在家裏,甚麼事都親力親爲,煮飯、洗衫……甚麼都會。在馬來西亞,請傭人非常困難,有些有錢人家,也祇不過請個小女孩幫幫手,普通人家,當然沒有這種享受。

所以,現在亞寶這樣侍候她,她反而感到有點不習慣。

浴室內有熱氣發出,蘊仙知道就快可以洗澡,她連忙去拿毛巾、內衣褲和睡衣,正當她要走進浴室,亞寶也從浴室走出來,她看了看蘊仙,一手搶去她懷中的衣服很嚴肅的說:「梅小姐,老太派我來侍候妳,要是妳嫌我手粗,不喜歡我替妳做事,請妳告訴老太。」

「亞寶姐,妳……」蘊仙含寃地叫着。

「我打了八年工,每個主人都很信任我。」亞寶放好毛巾衣服,從浴室出來：「可以洗澡了，如果妳有甚麼需要，而妳又喜歡用我的，請妳按牆上的叫人鈴。」

亞寶出去了，輕輕的關上門。

蘊仙又直覺地感到，亞寶也像思瑤那樣，對她並無好感。

蘊仙痛苦地問自己：「到底做錯了甚麼？為甚麼每一個人都不喜歡自己？」

不要灰心，許老太不是很慈愛、很體貼嗎？何況還有思棣呢？

飯廳內，許老太看一看牆鐘，八點零二分，思棣還沒有回來。

飯菜早已弄好，蘊仙也已起床，思瑤囉嗦地嚷着肚子餓。

許老太的心情特別煩躁，她看了一次鐘又看一次鐘。

電話鈴響了，許老太豎起耳朵，不一會，傭人過來：「老太，請妳聽電話！」

「誰的電話？」許老太已站了起來。

「大少爺的電話。」

許老太喃喃罵了兩句，她走過去拿起電話，說：「喂！」

「媽，是我，思棣。」對方叫着說：「吃過飯沒有？」

「哼！虧你還問得出口，我們等你吃飯，等到菜都冷了。」

「媽，別等我了，今晚我有應酬。」

「應酬？甚麼應酬？」許老太極力壓住聲音：「我打電話找了你一天，你連人影都不見，蘊仙已經來了，你知道不知道？」

「蘊仙？哪一個蘊仙？」

「你傻了？連未婚妻都記不起來。」

「啊！原來是她！」思棣的聲音很冷。

「你立刻回來，我們等你吃飯。」

「我不行呀！」思棣焦急的說：「我約了幾個外國朋友，我們有生意來往，不能不應酬一下。」

「唉！」許老太嘆了一口氣：「你叫我怎樣向蘊仙交代？」

「告訴她，我很忙。」

「不會忙到連未婚妻也不理吧?」

「媽!我眞不明白她來幹甚麼?」思棣在抱怨:「我從來沒有要求她來,她……」

「她是你的未婚妻,我的未來兒媳婦。」許老太搶着說:「她是我們許家的人,喜歡來便來,幹嗎要人要求?」

「那……媽,妳代我向她道歉,我吃過晚飯就回來。」

「早點回來!」許老太怒沖沖掛上電話,她後悔以前不應該太寵兒子。

飯桌上,有鷄、有鴨、有魚、有蝦……甚麼都有,但是,却缺少一個蘊仙苦苦思念的思棣。

「吃飯吧!」許老太看了看呆想的蘊仙。

「不等思棣嗎?」蘊仙輕聲問。

「啊!不用等他了,」許老太用笑容來掩飾不安,說:「思棣被幾個外國商人拉去應酬,他托我向妳道歉。」

「生意要緊，用不着道歉的。」蘊仙仍舊保持着良好的態度。

「應酬？」思瑤突然冷聲冷氣的說：「其實大哥去找艾齡才是眞的！」

「艾齡？哪一個艾齡？」許老太忙着追問。

蘊仙瞪起眼睛，心房「卜通卜通」的跳。

「誰知道艾齡是甚麼東西？有一次我聽見大哥對着電話猛叫艾齡的名字。」

「啊！」許老太回頭看見蘊仙那副緊張的樣子，她人急智生的說：「我現在想起來了，艾齡是思棣一個同學的妹妹，今年祇不過四歲，但是很聰明、很活潑，所以思棣特別喜歡她，不過今晚他眞的有應酬，蘊仙，妳別聽思瑤胡言亂語，這孩子快要瘋了。」

蘊仙釋然地笑着：「思瑤是個風趣的女孩子，剛才她祇不過開個玩笑吧！」

「下次妳再亂說話，當心我扣妳的零用錢。」許老太狠狠盯了女兒一眼。

「不說就不說，」思瑤不服氣的翹了翹嘴：「其實我才不高興多管閒事。」

「妳就少說幾句。」許老太顫聲罵。

思瑤聳了聳肩膊，一點也不在乎。

吃過晚飯，思瑤開了電視，許老太說今晚有好節目，叫蘊仙看一會電視才睡覺。其實，蘊仙根本就不想睡，她要等思棣回來，見他一面。

一晚容易過去，思瑤打着呵欠上樓睡覺。許老太關了電視機，也準備上樓休息，她抬起頭，看見蘊仙筆直的坐着，許老太走過去叫她：「時候不早了，睡覺吧！」

「伯母，我一點也不疲倦。」

「就算不疲倦，現在十一點多鐘，也應該休息了。」許老太拖着她的手：「來，我們一起上樓。」

「伯母，我……」蘊仙退後一步，欲言又止。

「蘊仙，妳怎麼了？」許老太深深看她一眼，看透了她的心事：「妳想等思棣回來？」

蘊仙紅着臉，點了點頭。

許老太皺一皺眉頭，她安慰蘊仙：「男人出外應酬，是很難控制時間的，尤其是美國商人，特別愛玩，可能胡鬧一整晚不肯罷休，不要等思棣了，聽我的話，早點休息吧！」

蘊仙一向依順成性，而且又不習慣用言語表達心事，雖然，她願意等思棣，哪怕要等到大天光，但是，既然許老太不同意，她祇好聽話，不敢稍加反抗。

許老太把蘊仙送回房間，眼看她上床睡覺，然後她才放心離開。

不過她並沒有回到自己的臥室，她躡足走到樓下，等候思棣回來。

不知道過了多少時候，許老太靠在椅上睡着了，突然有人輕輕把她推醒——

「媽！」

許老太張開眼睛，看見面前站着她那高大英俊的兒子。

「媽，妳睡在這兒，不怕着涼嗎？」思棣脫下外衣，替許老太披上。

「現在是甚麼時候？」許老太用手帕抹着眼睛。

「一點四十七分。」

「甚麼?將近兩點鐘了。」許老太臉色一變:「你的眼中到底還有沒有我?」

「媽,妳幹嗎突然生氣?」思棣慌惶地說。

「我已經生氣了一整天,」許老太的聲音更大:「我叫你早點回來,你把我的話當耳邊風,半夜三更才肯回家,你……今晚到底在甚麼地方胡混?」

「幾個外國朋友嚷着要上夜總會,爲了做生意,我不能令他們失望,」思棣半垂着頭:「我怕妳擔心,看完尾場表演便硬着臉皮結賬……」

「用不着說了!反正你有沒有和外國人在一起,我也是查不出來的。」許老太擺手制止思棣,突然問:「我問你,艾齡到底是甚麼東西?」

「媽,妳……」思棣心內着慌,他不敢回答母親,祇有支吾着。

「思瑤聽見你對着電話猛叫艾齡,」許老太鐵青着面孔,冷聲審問:「她是不是你的秘密情人?你忘記我已替你找了一個全世界最好的未婚妻?」

等不到思棣回答,許老太又迫着問:「你說,那叫艾齡的是不是你的黑市情人?」

思棣最孝順母親，每次母親一生氣，他便手忙脚亂，幾乎要跪在地上請罪，他拉着許老太的衣袖說：「媽，妳……妳完全誤會了，那次我……我搭朋友買馬，一隻叫艾齡的馬跑出第一，因爲艾齡是冷門馬，我贏了錢，所以在電話內向朋友猛叫艾齡。」

「啊！原來艾齡是一隻馬。」許老太的面上有了一點笑容：「沒有騙我嗎？」

「我不敢騙妳，媽媽。」思棣也陪着笑，但那是苦笑。

「唔！」許老太滿意了，她用溫和的聲音對思棣說：「你的未婚妻已經來了，你是他的未婚夫，很應該陪伴她，明天你不用上班了，陪她到處遊玩吧！」

「媽，公司的事……」

「公司的一切我自然會吩咐總經理暫時替代你。」許老太正色說：「蘊仙是個可憐的女孩子，我不准你欺負她。」

「媽，我覺得和蘊仙沒有甚麼感情。」思棣鼓足了勇氣。

「沒有感情？你自小和她玩大的，怎能說沒有感情？」許老太說：「就算你對她已經忘情，以後還有很多日子讓你重新把感情培養起來，我和你爸爸婚前連見一次面的機會也沒有，感情就更加談不上了，可是我們結婚之後不是很恩愛嗎？思棣，你不要三心兩意了，蘊仙是我們許家的媳婦，那已經是十年前決定下來的事。」

「媽……」思棣欲言又止，始終沒有勇氣說下去。

「別孩子氣了，你是許家唯一的兒子，你一定要娶妻養子，繼後香燈。」許老太站起來：「睡吧！明天早點起來，蘊仙盼望見你！」

蘊仙有早起的習慣，不到七點鐘她已經起床梳洗，那時候，許家的主人仍在甜蜜的夢鄉，蘊仙一個人在房間坐得無聊，她換上一件淺藍色的直身裙，還披上一件外套，到樓下花園散步。

許家的花園又大又美。蘊仙看見滿園子的蘭花、玫瑰、劍蘭、非州蘭、吊蘭、麗春、彩椒、小米蘭、聖誕紅、青松……還有許許多多不知名的花，她高興極了。

走到園中，蘊仙看見園丁正在剪草，她走過去，要求替園丁淋花。

「小姐替我淋花，我不敢當，萬一弄髒妳的衣服，老太會責備我的。」

「我小心點，就不會弄濕衣服。」蘊仙仍然在要求，對於花，蘊仙向來有偏愛。

園丁拗不過她，終於答應了讓她淋當中那個小花圃。

蘊仙很高興，連忙拿起盛滿水的花灑壺走開去。園丁看着她的背影，喃喃的說：「倒是個不會擺架子的好小姐，許家有福了！」

蘊仙淋花、剪草，完全忘了時間。

太陽出來了，慢慢的放射光芒。

蘊仙感覺皮膚滲着微汗，她褪下外套，把它掛在樹上。

突然有人在外面大聲叫着，使蘊仙嚇了一跳。

「梅小姐。」

蘊仙回過頭去，看見亞寶。蘊仙說：「亞寶姐，早晨。」

「早晨！」亞寶指住她手中的剪刀：「妳拿着剪刀做甚麼？」

「剪草。」

「剪草？這些工作是園丁做的，妳是小姐，怎麼和下人混在一起？」

「我喜歡花，剪草、淋花，我在家裏每天都做，」蘊仙不以為然：「我做慣了！」

「但是，妳來許家是做小姐的，可不是做傭人。」亞寶拿去蘊仙手中的剪刀：「要是被老太知道了，她又會向我發脾氣。」

蘊仙再一次感到亞寶對她的不友善，但是，她並沒有表示甚麼，她一向容忍慣了，現在寄人籬下，當然要更加容忍，哪怕站在她面前的祇是一隻狗。

「快進去吧！一家人都在等妳吃早餐。」亞寶板着面孔，像是發命令。

蘊仙乖乖的依從她，拿起外套重新穿上，當她走進客廳的時候，她看見除了許老太和思瑤之外，還有一個美少年。

蘊仙停下脚步，心兒在跳，六年了，她隱約的仍然認得出思棣那烏亮而貼服的頭髮，大而多情的眼睛，高高的鼻子，豐厚的嘴唇，和令她有溫暖感的强壯肩膊。

他就是思棣，心愛的、懷念的、寄予無窮希望的未婚夫。

「妳還不趕快點，我餓死了！」

蘊仙聽見思瑤大發嬌嗔，才如夢初醒，連忙走近餐桌，向各人分別道過早安。

許老太用慈愛的眼色看了看她，拉開身邊的椅子叫她坐下，問了幾句她昨夜是否睡得好，然後，許老太提高聲音向正在看報的思棣說：「思棣，昨天你忙得抽不出時間接機，還不當面向蘊仙道歉？」

「啊！是的，眞對不起，蘊仙。」思棣放下報紙，他機械地說，甚至沒有看蘊仙，祇是低下頭胡亂的說：「昨天我很忙，請妳原諒！」

「沒關係！」蘊仙的聲音，溫柔得令人心軟：「昨天有伯母和思瑤陪我，我覺得很快樂。」

「那就好了，以後叫思瑤多點陪妳。」思棣開始匆忙地吃他的早餐。

思瑤在枱下踢了他一脚。

思棣擧脚雪雪呼痛，他瞪了思瑤一眼說：「妳爲甚麼踢我？」

「你爲甚麼把責任推在我的身上？我又不是她的未婚夫。」思瑤叉着腰叫嚷。

「思瑤，」許老太大喝一聲：「妳再放恣我就給妳一個巴掌。」

思棣和思瑤都靜了，蘊仙呆看着他們。

一會，許老太對思棣說：「吃過早餐，陪蘊仙去玩一天，回來的時候順便買四張七點半的戲票，蘊仙喜歡看哪一套電影，你就去買哪一套的戲票吧！」

思棣無可奈何的點了點頭。蘊仙却興奮得連早餐也吃不下。

思棣一直是沉默的，當他駕車直向元朗駛去的時候，尤其沉默得厲害。蘊仙坐在司機位的旁邊，好幾次想逗思棣說話，但是始終提不起勇氣。

她偷偷看着思棣，他的側面和正面一樣迷人，蘊仙很高興有一個這樣英俊的未婚夫。

她想：我失去父親、失去母親、失去整個家，幸而還有一個未婚夫。

她正在想得入神，思棣已停了車，他伸出手去指了指說：「這就是元朗。我們下車吧！」

蘊仙隨思棣下車，她以爲思棣一定會帶她遊山玩水，那時候，他們便可以暢所欲言，但是，事情完全出乎蘊仙的意料，思棣祇不過帶她去買了些地道食品及炸蝦片，一些新鮮蔬菜和兩隻肥鷄，這些食物都是許老太吩咐他買的，思棣買好一切，便對蘊仙說：「甚麼都買好了，我們回去吧！」

於是，思棣默默無言的開車，沿着來時那條山路駛回去，蘊仙既遊不到山，也玩不到水，她甚至連和思棣說一句話的機會也沒有。

* * *

「好了，我已經選了良辰吉日。」許老太笑瞇瞇的走進蘊仙的房間。

「伯母，甚麼良辰吉日？」蘊仙連忙迎了起來。

「當然是妳和思棣的良辰吉日了。」許老太拉住蘊仙的手：「今天我特地請了老師父來，已替你們擇了好日子，就在下個月的聖誕節，老師父雖然是個唸佛吃素的人，但是她也懂得體貼年輕人，她說新時代人物都喜歡在聖誕節湊熱鬧，碰巧聖誕節那天又是好日子，這眞是兩全其美，心想事成。」

「伯母，」蘊仙感到爲難：「我還在守孝，怎麼可以辦喜事？」

「蘊仙，我也知道妳是個孝順女，一定會提出反對，本來，我最初的意思也想多等一兩年，可是，近來我發覺思棣常常出外不大戀家，我擔心他在外面會被壞人引誘。」許老太坐下來，嘆了一口氣：「所以，我想他早日成家立室，安安定定，就算他在外面眞的交上了壞朋友，但他自知有了妻室，便不敢太放恣了。」

許老太的話包含着意思，蘊仙不是不知道，其實這些日子她也一直在擔心，因爲她來香港差不多一個月了，思棣整天出外工作應酬，蘊仙想找一個機會和他好好的談一談也沒有辦法，因此，她也認爲應該盡快和思棣結婚，有了夫妻的名份，就不怕沒有機會和思棣親近，那時候，想說甚麼都可以。

「蘊仙，妳考慮清楚了沒有？」

「伯母，」蘊仙垂低了頭：「妳喜歡怎樣便怎樣吧！」

「那好極了！」許老太的面上又有了笑容：「明天我陪妳去買東西，訂製結婚禮服，順便也要添置一些首飾，雖然，我也有不少首飾給妳，可是，款式太舊了，我不喜歡親友對妳有一點點的批評。」

「謝謝伯母！」

「自己人，哪用得着道謝。」許老太叮嚀說：「這個半月的時間，妳別的都不用想，多吃點補品，有空就上床休息，做新娘子，太瘦不好看。」

「我在這兒吃得好、住得好，就是肥不起來。」蘊仙爲了自己的「瘦」而抱歉。

「妳想肥，一定要開心點，妳整天閉着嘴不說也不笑，吃了龍肉也不會吸收。」許老太說：「我最不喜歡看見人哭，如果妳整天笑瞇瞇的我就更疼妳！」

「伯母，我聽妳的話。」蘊仙咧開了嘴：「其實，我是很快樂的。」

「妳快樂我就安心了。」許老太拍了拍她的臉頰：「睡會兒吧！睡得好就吃得好，不到一個星期，我擔保妳至少肥一磅。」

蘊仙的眼睛有點潤濕，在許老太的身上，她往往看到自己母親的影子。

許老太出去後，蘊仙捧起梅老太的遺像，喃喃的稟告：「媽，我知道這個時候結婚，是很不孝的，但是，爲了我將來的幸福，我不能不答應許伯母。媽，妳知道不知道，思棣近來變了，以前，他最喜歡跟我玩，但是現在，他已經不高興理我了，也許他在外面另外有了女朋友吧！伯母要我提早結婚，那是對的，不然的話，我恐怕連思棣都失掉了。媽，妳會怪我太自私、太不孝嗎？……」

*　　*　　*

思棣推開客廳的玻璃門，看見許老太坐在客廳的中央。

「媽，還沒有休息？」

「等你回來。」

「我有門匙，何必……」

「我知道你有門匙，我也不會擔心你走不進來，」許老太冷冷看了兒子一眼：「我祗想問你一句話，蘊仙來香港之後，你有多少個晚上留在家裏？」

「媽，我要應酬啊！」思棣帶點委屈的解釋：「妳以爲我高興每晚出去？」

「既然不是你自願的，那好極了，從明晚開始，你不要再出外應酬了，每天下了班就回家。」

「但是……」思棣鎖起眉頭：「其餘的董事會怪我這個董事不肯爲公司的事務而盡職。」

「總經理也不是飯桶，一切交托他去辦好了！」

「總經理有總經理的工作，我……」

「你放心好了，沒有人會怪你的，」許老太說：「誰也知道，快要結婚的人是特別忙碌的。」

「媽，妳說甚麼？」

「你快要和蘊仙結婚了，」許老太正着臉色：「我已經爲你們選好了日子，就在下個月的聖誕節。」

「媽，」思棣突然高叫：「這怎麼可以？」

「怎麼不可以？」許老太大聲反喝。

「蘊仙還在守孝呢！」思棣偷看許老太的反應。

「啊！原來你為了蘊仙，」許老太笑了起來：「你放心，蘊仙那方面已經通過了。」

「甚麼，她……哼！」思棣焦急地說：「我和她連一點感情也沒有，怎麼可以結婚？」

「沒有感情？思棣，你是不是喝醉了酒？十年前，你親口要求我的，你說：『媽，我要蘊仙做我的老婆』，因為你喜歡蘊仙，所以我們許、梅兩家才會決定這頭親事。」

「媽，那時我祇不過十歲大，妳怎可以拿孩子的話當真？」

「十年前你的確是孩子，可是我一直沒有聽過你對這門婚事發表過甚麼意見。」許老太突然緊張的問：「思棣，你不是要解除婚約吧？」

「媽，我和蘊仙分別六年，感情已經疏冷了，妳要我和她結婚，也得給我一段時間，慢慢把感情培養起來。」

「你整天不在家，怎樣培養感情？」許老太揉一揉眼睛：「你是不是在外面有了女朋友？」

思棣抿起嘴，弄着指頭。

「現代的青年動不動都講求自主，認爲由父母主持的婚事是盲婚、落後不合理，因此，你也在外面追求自由，和那些時髦女人談情說愛。」許老太驀地提高聲音喝問：「你說，是不是在外面有了女人？」

思棣見母親這樣生氣，認爲多一事不如少一事，他連忙說：「我整天爲了公事忙，哪裏還有時間交女朋友？」

「既然沒有女朋友，就更加不必說，蘊仙溫柔美麗，一定能做個好媳婦。」許老太站起來，準備上樓：「明天我會托大伯母和二伯母籌備你們的婚禮。」

「媽，」思棣追上前：「妳渴望討媳婦，祇要是賢淑的，哪一個都可以，爲甚麼要指定蘊仙？」

「你一定要我逐一解釋嗎？好吧！我清清楚楚的對你說：第一，我喜歡和梅家結親家，因爲姓梅的一家都十分忠厚、老實。第二，蘊仙是個孤女，非常可憐，她做了我的媳婦，我可以永遠愛護她。第三，我和蘊仙已經有了極深厚的感情，無論任何一個人都不能代替她在我心中的地位，所以，我祇要她做我的媳婦。」

「媽，我……我不同意……」

「你不同意甚麼？」許老太瞪了他一眼。

「我……」思棣一咬嘴唇，很快的說：「我一點也不愛蘊仙。」

「慢慢的你就會愛她，六年前你不是也很愛她嗎？以後你也一定會愛她。」

「不！」

「不管你愛不愛她，」許老太跺着足，非常生氣：「你一定要聽我的話，和蘊仙結婚。」

「我……」思棣鼓起最大的力量堅持着：「我要和蘊仙解除婚約。」

「你……你連媽的說話也不聽從了？」許老太顫聲問。

「請妳原諒我！」

「好呀！我早知道你不把我放在眼內了！」許老太淚流滿面，身體搖搖欲墜：「你還記得你爸爸死後的第二天，你抱着我的腿哭叫嗎？你說：『媽，從今天起，我要替爸爸，令妳快樂，妳不喜歡的事情我永遠不做，我聽妳的話……』可是，現在……」

「媽……」

原來許老太已經暈倒在地上。思棣連忙把她抱起，直送上二樓的房間。

許老太一向有血壓高和心臟病，受了一點點刺激就會暈倒。因此，思棣一向不敢惹她生氣，她喜歡怎樣做便怎樣做，思棣從來沒有反對過，怕引起她血壓上升。

思棣忙着爲她搽藥油，又無限後悔的嚷：「媽，妳醒來，我甚麼都依妳！」叫着！叫着！許老太終於張開眼睛，她看一看兒子，又生氣的別轉了頭。

「媽，妳不要生氣了！我聽妳的話。」思棣低聲說。

「算了！明天我和蘊仙進佛學院吃素唸經，你的事我再也不管。」

「這又何苦呢？我已經答應和蘊仙結婚。」

「不必了，你現在勉强答應，將來也會埋怨我的。」許老太用手帕揩着眼淚：「都是我命苦，丈夫死得早，兒子又不聽話。」

「媽，我自願和蘊仙結婚，將來又怎會埋怨妳呢？不要哭了，我始終是妳的聽話孩子。」

許老太擤一擤鼻子說：「你既然願意和蘊仙結婚，爲甚麼剛才又要反對？」

「我……祇不過不願意太快結婚罷了！」

許老太的面上又有了笑容：「其實，也不算太快了，你是我的獨生子，我希望你和蘊仙快點替我多養幾個孫兒。」

思棣祇有陪着笑。

「思棣，」許老太從床上坐起來：「你眞的願意和蘊仙結婚，不會後悔嗎？」

思棣搖了搖頭。

「蘊仙是個好孩子，媽的眼光不會錯。」許老太慈愛地撫了撫兒子的頭髮：「去睡吧！明天還有很多事要做。」

思棣和許老太道過晚安，他頹然回到自己的房間，在燈下，他彷彿看見一個美麗的影子，他痛苦地把頭埋在雙掌中，不斷的叫着：「艾齡，我的艾齡！」

艾齡並不是一隻冷門馬，她是一個冶艷迷人的女郎。

* * *

「艾齡！」

「……」

「不要再哭了！」

「……」

「妳把我的心哭碎了，還不肯聽我說一句。」思棣長長的嘆了一口氣。

「我已經聽你說了一百次。」艾齡抽咽着，從手臂上抬起了頭，她那梨花帶雨的小粉臉，思棣看來更美了。

思棣用手帕替她抹去臉上的淚珠，無限憐惜地說：「看！妳臉色都白了，不要再哭了，會哭壞妳的。」

「哭壞了更好，省得眼巴巴的看着你和姓梅的結婚。」

「艾齡，我說過那不是我自願的。」

「那你爲甚麼要和她結婚？」

「爲了母親！」

「母親，一天到晚都是母親，」艾齡一摔手，臉都發紅了：「你旣然要做聽話的孝子，那末你就不要來見我。」

「艾齡……」

「我知道你愛母親，也愛姓梅的，我……」

「艾齡，我說過多少次了？」思棣着急地抓住艾齡的手：「我祇愛妳一個。」

「如果你愛我，你就不應該依從你母親。」艾齡推開思棣。

「艾齡，妳不知道，我媽媽是很可憐的，她年輕守寡，早就失去丈夫的愛，她把所有的希望都寄托在我的身上。」思棣低頭撫着自己的拳頭：「而且，我媽媽是有心臟病的，我不願意刺激……」

「好吧！」艾齡負氣說：「你把我犧牲算了。」

「不，艾齡，我雖然答應母親的要求，但是，我和妳之間並沒有完。」

「你的意思是……」

「我們可以像以前一樣，繼續相愛。」

「甚麼？你要我一輩子做你的秘密情人？」艾齡瞪大了比寶石還要亮的眼睛。

「並不是一輩子，我們祇要忍耐一個時期。」思棣興奮地說：「我表面上答應和蘊仙結婚，但，我和她祇是有夫妻之名無夫妻之實，艾齡，妳放心吧！我不會背叛妳的，等到我的媽媽……」

「等你媽媽死了，你就和我結婚，」艾齡刻毒的說：「是嗎？」

「艾齡，我媽媽祇不過五十歲剛出頭，她……」

「我知道她不會那麼快死的，」艾齡點了點頭，奇怪，她現在連一滴眼淚也沒有：「所以，我和你已經沒有希望了。」

「不，艾齡，還有一件事，妳是不知道的，」思棣急忙忙地說：「媽媽最希望抱孫，如果兩三年後蘊仙仍然沒有孩子，她就會同意我和妳結婚。」

「她肯把她的命根子媳婦趕走？」

「其實，她走不走都沒有關係，反正我不會理她，我就當沒有這個人存在。」

「啊！你也想來一個雙妻艷史？」艾齡臉色一板：「你看清楚，我這個人是會做人家妾侍的嗎？」

「我心裏祇把妳當太太，祇要我愛妳、尊重妳，別人也會同樣重視妳，我保證不到一年，別人祇知道妳是我的太太，根本不知道有梅蘊仙其人。」思棣蹲在地上，仰頭看艾齡：「艾齡，妳不是說過永遠愛我嗎？我求妳看在我們的戀情份上，委屈一下，將來我們一定會有幸福。」

「唉！」艾齡長長的嘆了一口氣：「就算我肯委屈，爸爸也不會容許我這樣做的，我爸爸的爲人，你又不是不知道，他好幾次向你提出要你和我結婚，你總是往後推，他已經很不高興，如果他知道你和另外一個人結婚，他會放過你嗎？」

「那……我們怎麼辦？」思棣沒有主意了。

「我們分手吧！」

「不，我是不能夠沒有妳的，我一定要盡能力想辦法……」

* * *

蘊仙站在窗前，遙望夕陽出神。

本來，她還有一個月就做新娘，照理應該很忙碌，但是，她不單祇空閒，而且寂寞，因爲事無大小，都由許老太代她籌備辦理，許老太叫她多睡多吃，希望她能夠胖起來，做個「福氣新娘」。

如果換了別人，正是求之不得，因爲可以乘這個空閒的機會，和自己的愛人，計劃好婚後的一切：怎樣度蜜月、喜歡甚麼時候養孩子、要兩個男的、還是要兩男兩女，這是令人興奮，而又永遠說不完的話題，但是，蘊仙一天也難得和思棣見一次面，談話的機會更是少而又少。思棣老是說忙，蘊仙也不知道他在忙些甚麼。

不過，蘊仙向來是溫柔、忍耐。就算心裏加倍感到不滿，她也祇有暗裏難過，絕對不會向思棣提出責問。

有人在外面輕輕敲門，蘊仙以爲是思瑤，她走過去，門一打開，却原來是思棣。

她驚喜又慌亂，撫着頭髮紅了臉。

「有空嗎？」思棣的聲音低得祇有蘊仙聽得見。

「我有空，」蘊仙退後一點：「請進來吧！」

「不，我有點事情和妳詳談。」思棣客氣的請求：「妳不介意和我出去嗎？」

蘊仙搖着頭，興奮地說：「我立刻換一件衣服，請你等一等。」

「用不着換衣服了！」思棣看見蘊仙已經穿着白衫黑裙，而且還穿了皮鞋：「我們不會去得很遠，而且很快就回來。」

蘊仙依順地跟着思棣出去，其實，她並不在乎去得多遠，也不在乎去得多久，祇要能夠和思棣在一起，她就會感到快樂。

走出花園，碰見思瑤，她看了看思棣，又看了看蘊仙，不懷好意的笑着問：「去拍拖？」

「別胡鬧！」思棣盯了她一眼。

「未婚夫婦去拍拖，也算是胡鬧？哈！」思瑤向蘊仙搖一搖手：「把握時機，旗開得勝。」

蘊仙的臉一直是紅的，但是，她根本不明白思瑤說話的意思。

思棣沒有理思瑤，他叫蘊仙站在那兒，然後開了汽車過來接她。

思棣一直駛出太子道，然後停在一間咖啡店。

那咖啡店靜得像自己家裏的小客廳，溫暖而有親切感。思棣代蘊仙要過飲料和三文治，蘊仙一直靜靜的坐着，她心裏有很多話，但是不知道應該怎樣開口。

思棣看了蘊仙幾次，他也覺得心中有話，但難於啟齒。

咖啡的熱氣冒着，思棣很高與他和蘊仙之間有這一層烟幕，因爲他已不能清楚地看到了蘊仙的表情，因此，他大着膽子說：「蘊仙，我有一件事情請求妳！」

「甚麼事？」

「妳會答應嗎？」

「我盡力去做。」

「蘊仙，」思棣把身體移前一點，他怕蘊仙聽不到他的話：「妳也是新時代的青年，妳認爲，婚姻是不是應該由自己選擇？」

蘊仙點了點頭，談到婚姻，她又臉紅了。

「不應該由父母做主，對嗎？」思棣又追緊一句說。

「是的。」

「由父母做主的婚事，算不算是盲婚？」

蘊仙又點了點頭。

「那末，妳爲甚麼又要同意盲婚？」思棣似乎在責問她。

「思棣，」蘊仙輕聲的說：「我並沒有同意盲婚呀！」
「還說沒有？」思棣指着她：「妳從馬來西亞遠道而來，爲了甚麼？」
「我……」
「爲了和我結婚。」思棣說：「如果妳不贊成盲婚，那妳就根本不應該來。」
「我媽媽死了！」蘊仙一時感觸，哽咽起來：「她是我唯一的親人，我知道來得太快，但是，除了你們，在這世界上，我就沒有地方可以投靠了！」
「妳可以和我們生活在一起，我們一家人都歡迎妳！」思棣也覺得蘊仙非常可憐，不過，他絕對不會因爲同情而放棄他和艾齡的愛情：「但是，妳不應該答應媽的要求嫁給我。」
「爲甚麼不應該？」蘊仙睜起淚眼。
「我和妳的婚姻是盲婚，妳難道不知道嗎？」
「盲婚？怎麼會呢？我們又不是沒有見過面？」
「但是我們沒有感情。」

「感情是有的！」蘊仙的聲音輕而肯定：「我們在一起玩了十多年，我們是很好、很好的朋友。」

「可是，六年前我們就分了手，這六年來，大家都變了。」

「我沒有變，還是從前的老樣子。」蘊仙低頭嘆了一口氣：「以前的一切我都記得很清楚。」

「那有甚麼用，以前我們是孩子，現在我們都長大了。」思棣負氣的說。

「不過，我們的婚約已經維持了十年。」

「這是我母親的主意。」

「思棣，你……不是也同意的嗎？」蘊仙顫聲說：「我還記得十年前，有一天下午，我和你、思瑤，還有隣居的孩子，我們玩娶皇后，當時，你做的是皇帝，你要選我做皇后，但是我不肯，因爲我不喜歡嫁人，你見我不答應，便放聲大哭，許伯母聞聲走出來，問你爲甚麼哭，你就拉着伯母的手，叫她留住我，因爲你要娶我做老婆……」

「那是孩子話！」思棣也回憶起來了，童年的生活，最幸福最無憂，從前，思棣的確很喜歡蘊仙，他最愛她那對小孖辮配上一張雪白的雞心臉。她很文靜，雖然有時顯得太憂鬱，但，她是可愛的。如果他不是半途愛上艾齡，被她迷住了，那末，思棣不單祇不會反對這段十年歷史的婚事，而且還會慶幸獲得一個溫柔賢淑的好妻子。

蘊仙的眼睛凝了一層淚膜，她喃喃地，好像說給自己聽：「六年前，我離港赴馬來西亞的前一天，你來我的家裏，你送了一個桃木做的洋娃娃給我，後來你問我甚麼時候回來，我搖頭說不知道，你就拉着我的手，非常認眞的說：『蘊仙，妳是我的未婚妻，妳一定要回來……』思棣，我們並不是完全沒有感情的，是不是？」

思棣抬頭看了看蘊仙，她文靜、怯弱得像一朵小小的茉莉；而艾齡卻是一朵嬌媚、熱情、迷人的玫瑰，想起艾齡，他的心又硬了起來，祇有蘊仙退出，否則他和艾齡便沒有希望，他咬一咬下唇說：「那是孩子的感情，現在我們都長大了，思想有了轉變，我認爲孩子的感情是淺薄的，不足以維繫一對夫婦。」

「我們可以慢慢培養起成熟、深厚的感情。」

「談何容易，六年長的時間，回憶和情感都淡化了。」

「你認爲我們應該怎樣去補救？」

「解除婚約！」

「爲……甚……麼？」蘊仙吃驚地問，眼淚控制不住淌了下來。

思棣看見女人的眼淚心就亂，他別轉了頭說：「妳不是不知道我最反對盲婚的。」

「你……是不是不……喜歡我？」蘊仙吃力的問道。

「我對妳絕對沒有意見，我祇是奉行一種新思想，我要爭取婚姻自由。」

「或許，你另外……另外有了女朋友？」蘊仙抹去眼淚，試探着問。

「女朋友？」本來，思棣想把他和艾齡的一切告訴她，這可令她絕望而自動放棄婚約，不過，她一定會告訴許老太，許老太知道他在外面有了女朋友，又迫蘊仙退婚，她生氣起來，不單祇不會放過思棣，可能還會對付艾齡，那時候，反而更糟，因此，思棣一口否認：「我沒有女朋友，我祇是暫不願意結婚。將來我要成家立室，也要愼重地選擇對象。」

「你認爲我並不符合你的理想？」

「我們解除婚約之後，一樣可以交朋友，」思棣存心騙蘊仙：「經過更深的認識，說不定將來我們仍然會結婚。」

「你一定要我解除婚約？」蘊仙怯怯的問。

「是的，妳答應我吧！我會感激妳一輩子。」

「我已答應了許伯母。」蘊仙搖着頭：「我不能解除婚約！」

「妳可以偸偸離開香港，我給妳一筆錢，送妳回馬來西亞的家。好嗎？」

「我已經沒有家，也沒有親人。」蘊仙含着懇求的語氣：「思棣，我求你讓我留在許家，我一定會盡力做個好妻子。」

「唉！妳怎麼還是不明白？我……」思棣急得擊着拳頭：「妳長得很漂亮，不愁沒有人喜歡，我給妳介紹幾個男朋友好不好？」

「不，我祇要做許家的媳婦。」蘊仙雖然覺得事情可疑，思棣要求她解除婚約，不可能單純爲了爭取婚姻自主，一定另有別情，但是，她太愛思棣，她要跟着他、黏着他，別的她都不管。

「妳……眞是！」思棣見欺騙不成，就恐嚇她說：「蘊仙，我坦白告訴妳吧！我並不是一個好丈夫，我對家庭沒有興趣，對妻子也沒有興趣，而且我又討厭孩子，我喜歡一個人靜靜的生活。」

「你放心，我一定會令你生活得寧靜，我不會囉嗦你的。」

「如果我冷落妳，對妳毫不關心，妳可不要埋怨我。」

「我不會埋怨你的。」蘊仙心裏又有了希望。

「我脾氣很壞，常常駡人，妳一定受不了。」

「我受得了，你打我，我也不會恨你。」

思棣噓了一口氣，他從來沒有見過一個這樣愚癡的女人，他看不到蘊仙的優點，祇覺得她像黏土般令人討厭。

「思棣，我知道你在考驗我，」蘊仙倒是想得美妙，她喜悅而又害羞的說：「我年輕不懂事，但是，我會加倍學習的，我一定要做個好妻子。」

「妳一定要做我的妻子，我也沒有辦法制止妳，不過，我不想累己累人，我要把我的缺點告訴妳，我是個冷血動物，蔑視家庭，對妻子不負責任，而且又愛拈花惹草，如果妳是個愛妒忌的女人，根本不適宜嫁給我。」

「那不要緊，媽媽常常告訴我，王老五大都是這樣的，將來你有了家室，你就不會這樣了。」

「我是一個很難變好的人。」思棣又企圖嚇跑蘊仙。

「總有一天你會變好的。」蘊仙充滿信心的說：「其實，你根本就不壞。」

思棣知道沒有辦法說服蘊仙和自己合作，她雖然性格溫柔，但是，這一方面她却是非常固執。

「既然妳不肯接受我的勸告，」思棣頹然地說：「我們回去吧！」

蘊仙悶悶不樂坐在床上，老是不明白思棣爲甚麼要提出和她解除婚約的要求。

就在這時候，思瑤象徵式地敲了敲房門，立刻便推門進來。

「昨天妳和大哥拍拖，成績怎樣？」思瑤問。

「我們祇不過出去喝一杯咖啡。」

「唔！」思瑤由上而下的打量她：「昨晚大哥沒有回來，妳又悶悶不樂，你們吵架了？」

「沒有。」

「我早就說過了，妳這樣子，大哥是不會喜歡的。」思瑤搖着頭：「大哥最喜歡打扮得漂漂亮亮的女孩子，而妳——妳自己照照鏡子，到底是一副怎樣的模樣？」

蘊仙被催眠似的站起來，走到照身鏡的面前，她看了一眼鏡中自己的影子：短而直的頭髮，蒼白的臉，沒有血色的嘴唇，毫無綫條的直身裙，黑黑的。整個人沒有一處地方能顯示美感，她舉手按了按頭髮，用求救的神色問：「思瑤，我該怎辦？」

「其實也很簡單，燙一個頭髮，塗點唇膏，買幾套貼身、悅目的衣服，再配幾雙高跟鞋，用不着一天時間，妳就會漂亮起來。」

「但是……」

「我知道媽媽爲妳在銀行存了五十萬元，同時又給了妳兩萬元傍身，妳不會沒有錢用。」思瑤胸有成竹的說。

「我不是這個意思，我祇是……我根本不知道在哪兒買東西，也不知道美容院在哪兒。」

「這個妳可以放心，我可以做義務嚮導，帶妳去辦妥一切。」思瑤笑得很開心：「祇要妳請我飲下午茶。」

「思瑤，妳肯幫我的忙？」蘊仙高興得甚麼似的：「我謝謝妳，眞謝謝妳！」

忙了半天，蘊仙從美容院出來，她的頭髮烏亮而微曲，嘴唇塗了唇膏，身上穿一套新買的鵝黃色貼身套裝，配上咖啡色的高跟鞋和手袋，思瑤偷看她幾次，不由得暗裏稱讚她美麗、迷人。

「大哥喜歡紅色的衣服。」經過百貨公司的時候，思瑤這樣說：「多買幾套吧！」

由於蘊仙發覺自己經過裝飾之後，比以前要美上十倍，因此她甚麼都依從思瑤。

當天晚上，思棣沒有回家，蘊仙沒有辦法展覽自己的美麗，不過，許老太却讚賞了好幾次，認爲蘊仙簡直比「西施」還要美麗。

蘊仙很高興，吃過晚飯，她在房間裏看今天買回來的東西，思瑤又敲門進來。

「卜比今晚請我看電影。」思瑤今晚的笑容特別可愛：「妳能不能把那條紅裙借給我穿一次？」

蘊仙立刻把其中一條紅色的背心裙挑出來，交到思瑤的手上。

「眞好！」思瑤更開心了：「我最喜歡紅色，謝謝妳！」

早上，蘊仙知道吃早餐的時候一定會見到思棣，因此她特別穿了昨天買的紅色格子衫裙。

走出飯廳，思棣眼前一亮，他幾乎認不出蘊仙，他心裏暗暗的想：原來她也是個美人，除了衣服俗氣一點，她簡直無處不美！

可是，她美不美與我何關？他回心一想，又忠於艾齡：我已經有了心上人，除了艾齡，誰也與我無關。

於是，他又安靜地低頭吃早餐。

許老太吃了一碗燒鴨粥就到神廳唸經，思瑤也特別知情識趣，早餐飛快吃完就偷偷溜出去。

蘊仙見飯廳沒有別人，便大着膽子逗思棣說話：「思棣，你喜歡我這件衣服嗎？」

「不錯。」思棣看也沒有看，因爲艾齡昨晚又發他脾氣，因此思棣今天的心情很壞。

「我知道你喜歡紅色，所以……」

「我最恨紅色！」思棣碰上好機會發洩心中的不愉快：「紅色又俗氣又惹人討厭。」

「但是思瑤……」蘊仙的心往下沉，一團高興，都消失無踪。

「思瑤甚麼？」思棣不耐煩地粗聲問。

「她說你喜歡紅色，所以我……」

「思瑤，哈！」思棣用餐巾大力抹嘴：「祇有傻瓜才會相信思瑤的話。」

蘊仙低下頭，她難過極了，而且又被思棣罵作傻瓜。

思棣擲下餐巾，站起來，大踏步走了出去，他心裏祇有一個艾齡，別人都成爲多餘。

蘊仙掩臉飲泣起來，她爲了討好思棣而裝飾自己，但是結果却得到一番奚落。

良辰吉日，紅燭高燒。

由於思棣的神情落寞，魂不守舍，雖然有很多年輕的親友很想鬧新房、湊熱鬧，但是，都被思棣的冷冷然嚇走了。

從酒樓回來，時間剛巧十二點鐘，許老太說「子時」是吉時，這時候洞房，將來一定人丁旺盛，因此，她急巴巴的把兒子、媳婦送進新房。

思棣對着母親一直是笑容滿臉，他是個孝子，他犧牲一切無非爲了使母親快樂，因此他乖乖的依從母親，牽着蘊仙回新房。

「早點休息！」許老太在後叮嚀着。

思棣和蘊仙都含笑向許老太道晚安，許老太才心滿意足的回房休息。

一走進新房，思棣立刻放開蘊仙。

桌上的龍鳳燭又紅又壯，思棣和蘊仙分別坐在桌旁，蘊仙低垂着頭，無限嬌羞的用手指撥着銀緞旗袍上的珍珠子。

思棣坐立不安，不停地看腕錶，又豎起耳朶聽外面的聲音。

蘊仙突然站起來，輕手輕脚的倒了一杯熱茶，然後送到思棣的面前：「你一定很疲倦了，喝一杯熱茶吧！」

蘊仙的聲音很輕，思棣却受了驚似的跳了起來，他的手碰到了茶杯，熱騰騰的茶濺了幾滴在他的手背上。

「妳爲甚麽鬼鬼祟祟的來嚇人？」思棣向蘊仙大發脾氣。

「對不起！手痛嗎？」蘊仙着慌了，連忙找來一條毛巾，替思棣抹去手上的茶：「要不要塗上一點藥水？」

「不要！」思棣沒好氣的說。

「喝茶吧！」蘊仙站在他的身邊，像一個傭人：「茶冷了！」

「我不喝！」思棣別轉了頭，他答應過艾齡永遠不會對蘊仙友善。他要排擠蘊仙，令她忍無可忍，自動離開。所以，他極力提醒自己，必須要對蘊仙兇一點。

「你忙了一整天，精神一定很不振，而且又可能吃不飽，我也知道你會感到不舒服。」蘊仙不單祇不怪他，還好心好意的說：「早點休息吧！」

思棣根本沒理她，他站起來，走到門邊，用耳朵貼着門，聽了一會，外面一點聲音也沒有，於是，思棣連忙脫下身上的晚禮服，他打開衣櫃，換上一套便服，蘊仙見他這樣匆忙，忍不住問：「思棣，你爲甚麼又穿上衣服？」

「我要出去！」

「出去？」蘊仙愕然問：「這麼夜了，外面風又大，還要出去？」

「我是夜遊人，妳不知道嗎？」思棣結上領帶：「我不怕冷又不怕夜，喜歡出去就出去。」

「思棣，今晚是我們的好日子……」

「甚麼？結婚第一晚，妳就要管束我的自由？」思棣惡狠狠的指着自己的鼻尖：「除了媽媽，沒有人能管得住我。」

「我並不是管你，不過，今晚是我們的……洞房花燭夜，我希望你少出去一晚。」蘊仙的聲音仍然非常溫和。

「不行！」思棣强硬的說：「妳早就應該知道我不是個好丈夫，經常出外遊蕩。」

蘊仙不知道應該怎樣說服思棣，她一時間變得啞然無語。

思棣穿好衣服開門出去，蘊仙突然拿起椅上的一條圍巾，追上前叫道：「思棣，等一等。」

「不要多說，我不會聽妳的話。」

蘊仙把圍巾遞到他的面前，委屈而又帶點哽咽的說：「外面很冷，多帶一條圍巾吧！」

思棣接過圍巾，毫無表示，躡足走下樓梯。

蘊仙知道他怕驚動許老太，因此她也合作地，輕輕關上房門。

她坐在剛才坐過的位置，伴着龍鳳燭，孤清清的守候着。

她疲倦，精神不振，她想睡，但是不能睡，因爲她要等候思棣回來。

兩點鐘，思棣沒有回來。

從今晚所發生的一切，蘊仙知道思棣對她眞的毫無好感，否則，他也不會在洞房花燭的好時光，仍然要出外遊蕩。

「我做錯甚麼？」蘊仙想着，眼淚直往下流：「他爲甚麼這樣待我？」

四點鐘，思棣仍然沒有回來。

蘊仙失望了，她拿起梅老太的遺照，哭叫着：「媽，這是我們新婚第一夜，可是思棣却跑了！妳叫我怎麼辦？以後的日子妳叫我怎麼過？」

六點鐘，鳳燭已燒殘，蘊仙淚仍未乾，她形單隻影的站在窗前，不停的搜望下面的花園。

快到八點，蘊仙不能再等，因爲她知道許老太每天八點鐘起床，她必須在八點鐘前往敬茶。

她梳洗完畢換過衣服，眼睛有點紅腫，她必須裝出更多的笑容。亞寶進來，說蓮子茶已經準備好，於是，蘊仙帶着亞寶進許老太的房間。

許老太坐在床口，笑瞇瞇的看着蘊仙進來。

「奶奶，早晨！」蘊仙向許老太鞠躬。

「早晨！」許老太慈祥的微笑着：「昨夜睡得好嗎？」

「很好，謝謝奶奶關心。」蘊仙把蓮子茶遞到許老太的手裏：「奶奶請飲茶啦！」

「好媳婦！」許老太喝了一口茶，突然問：「爲甚麼不見思棣和妳一起進來？」

「他……」蘊仙不知該怎樣說：「他昨夜……」

「媽！」突然後面響起了思棣的聲音，蘊仙回過頭去看見思棣站在門口。

蘊仙感激思棣趕來解圍。

「媽，早安！」思棣依在許老太的身邊：「我要不要敬茶？」

「傻孩子，這是媳婦幹的，你也是我的媳婦嗎？」許老太白了兒子一眼，心裏却是喜悅的。

思棣嘻嘻的笑着。

蘊仙覺得他和昨夜完全是兩個人。

許老太一隻手拉住兒子，另一隻手牽住媳婦，她把兩隻手合起來，對兒子媳婦說：「希望你們相親相愛，替我多養幾個白胖的孫兒。」

「好的，」思棣輕鬆的說：「我們替妳一年養一個。」

蘊仙的臉紅了，但是她心裏是甜甜的，她多渴望有幾個可愛的孩子。

「今天你不要上班了，」許老太對思棣說：「多點陪蘊仙吧！」

「遵命！」思棣爽快地回答。

吃過早餐，許老太開始每天的早課——唸佛經。思瑤盡量利用假期，連早餐也沒有吃就出去了，也沒有人知道她去了哪兒。

思棣示意蘊仙回房，蘊仙以為思棣已經覺悟了，她非常高興，但是一回到新房，思棣就黑起臉孔問她：「剛才妳為甚麼在媽媽的面前說我的壞話？」

「我沒有說你的壞話，」蘊仙着急地搖着頭：「眞的沒有。」

「妳想說我昨晚出外遊蕩，是不是？」

「不，奶奶問我你為甚麼沒有跟我一起進去，我想告訴奶奶，昨夜你太疲倦，還沒有起床，我剛說出口，你就進來了。」蘊仙委屈地哭着：「你以為我是長舌婦嗎？」

「不管妳準備怎樣說，我現在警告妳，我所做的一切不准妳告訴媽媽，我和妳之間的事也不准妳讓任何一個人知道，」思棣恐嚇她：「如果妳不依從我的話，嘿！別怪我對妳不客氣。」

「我不會不順從你的，」蘊仙用手背揩着眼淚：「但是，我到底做錯了甚麼？你要對我這樣兇？」

「妳現在來埋怨我？是不是？」思棣拉長聲音，故意顯出一副無賴相：「我早就告訴妳我是個壞人，誰叫妳堅持要嫁給我？」

「思棣，你變了，你以前不是這樣的。」蘊仙難過地掩臉痛哭。

思棣皺一皺眉，顯然他內心也並不好受，但是，表面上，却是另一回事：「喂！妳哭甚麼？我最討厭哭哭啼啼的女人。」

蘊仙止不住哀傷，大力抽噎。

「妳再哭，我立刻出去，永遠不再回來。」思棣作狀舉步出去。

「思棣，不要走！」蘊仙慌忙止住哭聲：「我已經不哭了！」

「以後妳心裏不痛快，就關着房門哭，在別人的面前，一定要快快樂樂，時常面帶笑容，如果妳老是愁愁苦苦，別人還以為我欺負妳呢！」思棣叮囑她：「我的話妳都要記着，知道嗎？」

蘊仙點着頭，她為了爭取思棣的愛，除了千依百順，還能做甚麼？

「我疲倦得很，要好好的睡一覺。」思棣打了一個呵欠：「妳坐在房門邊守着，不要讓任何人進來吵我。」

蘊仙像一個聽話的女奴，推了一張椅在房門邊，守着思棣睡覺。

* * *

「奶奶，是妳呼喚我嗎？」

「是的，坐下來，我有很多話要對妳說。」許老太指了指身邊一張椅。在靜靜的書房內，祇有婆媳兩人。

蘊仙如命坐下，許老太看了看她，關切的問：「蘊仙，幹嗎妳好像越來越瘦？」

「我……」蘊仙垂下了頭。

許老太會意的笑了起來：「年輕人，就是不懂得愛惜身體，蘊仙，妳要多吃點補品，不然將來養出來的孩子也不會健壯。」

「奶奶，我……」

「遲早總會有的，」許老太早就打響了如意算盤：「瞧着吧！不到三個月妳就要報喜了。」

蘊仙心裏發痛，淚水又浮了起來，但是，她甚麼也不敢說，祇是低着頭。

「蘊仙，今天我叫妳進來，是要把許家的一切向妳交代一下。自從我十六歲嫁進許家，我就一直管理許家的一切，十五年前，思棣的爸爸去世之後，我更兼管許家的事業，所以，這些年來，我實在已經筋疲力倦，我眞正需要好好的休息。過去，我一直找不到助手，思瑈也不是理家的人才，現在，我有了妳——賢淑的媳婦，我可以安心把一切交給妳。蘊仙，以後這個家就由妳來當……」

「不，奶奶，我甚麼也不懂，」蘊仙慌了起來：「我承擔不起來。」

「不要怕，我最初也是甚麼也不懂的，漸漸地妳就會習慣和適應了。」許老太鼓勵她：「而且，妳是許家的媳婦，遲早妳總要負起這個責任。我老了，妳不能永遠要我爲這個家操心。」

「好吧！奶奶，我願意接受妳給我的工作。」蘊仙祇好答應了：「不過，妳一定要經常指導我。」

「我自然會教妳怎樣做。」許老太把十幾本賬簿，和一串巨型鑰匙推到蘊仙的面前：「這是夾萬鑰匙，妳要小心保管，夾萬裏面，有五百萬股票、八百萬銀行存款、三百四十萬六千元現款，四十二張屋契，和我一些不常用的首飾，大概也值二百萬左右……」

蘊仙聽得腦都亂了，她想不到許老太竟會把三千多萬交在自己的手上。

「妳一定要做一個精明的主婦，凡事不可糊塗。」許老太囑咐着：「思瑤這孩子越來越不像話，妳要替我管一管她，她每月的月費是一萬元，服裝費最多不能超過一萬元，如果她找妳痲煩，妳立刻來通知我！知道嗎？」

婚後兩月，蘊仙和思棣仍然是掛名夫妻。

表面上，誰也看不出來，因爲在人家的面前，思棣對蘊仙旣溫柔又體貼，因此，誰都羡慕他們是一對恩愛夫妻。

每晚，思棣都在家裏吃晚飯，飯後，思棣就和蘊仙雙雙回到房間，許老太看見他們這樣恩愛，心裏暗暗高興，她以爲不久之後便可以抱孫了。

可是，又有誰知道，思棣回房之後，根本沒有和蘊仙說一句話，倒頭便睡，蘊仙也不敢上床吵他，祇是靜靜的坐着，一直到午夜，思棣依時起床，換了衣服就出去，蘊仙問他去哪兒，他就重重的回答：「我的事，妳最好不要管。」

「要不要我等門？」蘊仙含着淚問。

「用不着了！」思棣有時的確很同情她，但是又怪她爲甚麼老是躭下去，不肯離開，如果她自動解除婚約，那不是大家都好嗎？

思棣雖然叫她不要等，但是，她因爲擔心和盼望思棣，她結果還是睡不着。

一個有權有勢的大少奶，又有誰知道她夜夜獨守空房？誰也不了解她，因此，她越來越憂鬱，越來越憔悴。

她每天嚐着寂寞的滋味，無論白天、黑夜，她都是孤零零的。白天，思棣上班去了，思瑤也要上學，許老太呢？自從她把家務交托媳婦之後，好像眞正的退休，百事不問，整天在神廳敲經唸佛。至於晚上，守活寡的滋味兒，蘊仙已經嚐慣了。

由於生活太空虛，因此，蘊仙常常親自動手做家務，有時幫助園丁淋花拔草，有時自己縫衣、洗衣，淸潔思棣的衣服和皮鞋，本來，她也知道身爲大少奶，是不應該做這些屬於傭人的工作，但是她太無聊了，總不能每天吃飽飯就睡。

這天，她發覺房間的白沙窗幔有一點微黃，於是她爬上窗台，正想把窗幔除下來洗滌，就在這個時候，亞寶突然拍門進來。

「亞寶，有甚麼事嗎？」蘊仙一面解窗幔的扣子一面問。

「我來向妳辭工！」亞寶氣呼呼的說。

「辭工？」蘊仙愕然了：「好好的，爲甚麼要辭工？」

「我們打工仔，出來打工，一定要主人喜歡。」亞寶吱吱喳喳的說：「妳既然不喜歡我，我做下去也沒有意思。」

「亞寶，我甚麼時候說過不喜歡妳？」蘊仙擁着窗幔，跳下窗台。

「大少奶，我亞寶可不是傻瓜，」亞寶粗聲粗氣的說：「妳就是不說，我也看得出來的，妳自己清理房間、自己調洗澡水、自己洗衣服……妳甚麼都做光了，請我回來做太婆？」

「亞寶，妳誤會了，我祇不過太空閒，所以……」

「其實，妳第一天來就不喜歡我。」亞寶搶着說：「妳不要我調洗澡水，妳還記得嗎？好呀！我也沒有臉皮留下來，計人工給我，我立刻走！」

「亞寶，妳聽我說，我……」蘊仙急得眼睛發紅，因爲亞寶是她的貼身女傭，平時她和亞寶最接近，也算得上是她唯一的伴兒。她又怎捨得她走？

「辭退一個傭人，本來也很普通。」亞寶悻悻然說。

「不，亞寶，我很難跟妳說清楚，總之妳不要走。」蘊仙情急起來，竟然拉住亞寶：「妳走了，我會加倍的寂寞。」

「寂寞？」亞寶瞪起了眼睛：「做大少奶也會寂寞？」

「有很多事情妳不會了解，」蘊仙搖了搖頭：「以後所有的工作全部由妳做，妳有空就進來陪我聊聊天，好嗎？」

「這……」

「窗幔妳拿去洗了吧！」

「好好！」亞寶祇要有工作做就高興：「我立刻拿去洗乾淨。」

亞寶雖然脾氣暴烈，但是她心地很好，自從這次之後，她對蘊仙更服侍週到，有時候，她見蘊仙坐在房間發呆，她就走進去說些農村小故事逗蘊仙高興。

有一天，亞寶突然靜靜的問蘊仙：「大少奶，大少爺爲甚麼每天晚上都出去？」

「妳……妳……」蘊仙不知道應該怎樣回答。

「本來我不應該多管閒事，但是我見妳一天比一天瘦，而且常常愁眉不展，好像有很重的心事，因此，我不由得處處留心，我發覺大少爺每晚都不在家裏留宿。」

「亞寶，」蘊仙忙着追問：「妳有沒有把大少爺每晚出外的事告訴別人？」

「沒有，大少奶，」亞寶急搖着頭：「我一次也沒有說過。」

「不要告訴任何一個人。」蘊仙叮囑着：「妳也不要追問原因，因爲這是大少爺的秘密。」

「秘密？」亞寶仍要提出疑問：「是不是因爲大少爺有秘密，所以妳常常嘆氣？」

「不，我沒有嘆氣，也沒有心事。」蘊仙哽咽着，她清楚記得，思棣曾經警告過她，不准她向別人洩露他們之間的事，所以，她祇好啞忍。

亞寶很聰明，從蘊仙的態度，她看得出蘊仙一定有苦衷，她不由得對蘊仙加倍的同情。

星期六下午，蘊仙在書房登記賬目。

思瑤推門進來：「大嫂！」

「啊！思瑤。」蘊仙連忙抬頭含笑歡迎：「沒有出去嗎？」

「沒有。」思瑤在她對面的一張椅子坐下：「大嫂，我想向妳支錢。」

「支錢？」蘊仙低聲問：「月初妳不是支取了一萬元嗎？」

「我不是向妳支月費。」思瑤有點不耐煩：「我做了兩條新裙子，需要八千元。」

「思瑤，三天前妳剛向我支了兩萬元服裝費，一個星期前，妳又買了一萬二千元高跟鞋和手袋，」蘊仙翻出了賬目：「這個月，妳已經一共支了三萬二千元了。」

「支了三萬二千元又怎樣？」思瑤瞪起了眼：「我買了東西就得付錢。」

「思瑤……」

「拿一萬元來，我等着用。」思瑤伸出了手。

「對不起，思瑤。」蘊仙鼓起了勇氣：「我不能多給妳。」

「爲甚麼？」思瑤大聲喝問。

「因爲這個月妳已經超支了。」

「豈有此理！」思瑤兩手往腰間一叉：「喂！妳要放明白一點，我現在來支許家的錢，不是挖妳的肉，妳祇不過是我們家的管家婦，妳有甚麼權不讓我支錢？」

「我知道沒有權，但是奶奶吩咐過……」

「啊！現在妳是許家的大少奶，有權有勢，動不動就拿奶奶來壓人，不過，我勸妳休要向我作威作福，其實我甚麼都知道。」思瑤憤憤地盯住她：「看來妳和大哥也不會長……」

「思瑤，妳說甚麼？」蘊仙的心「卜卜」地跳。

「我甚麼也沒有說。」思瑤一擺頭，說：「把錢拿來！」

「思瑤，我不是不願意幫妳的忙，但是萬一奶奶知道了，她會怪我不依從她的囑咐。」

「妳少向我耍花樣吧！這幾個月來，媽媽哪一天查過妳的賬？」

「由於奶奶信任我，我更加不敢擅作主張。」蘊仙就是這樣忠厚、老實，絕不徇私。

「妳……哼！好呀！」思瑤滿臉通紅頓着足：「現在妳飛上枝頭變鳳凰，穿金戴銀，極盡豪華。可是，妳不要忘記，這一切都是我們許家賜給妳的，妳本來就是一個俗不可耐的窮家女。」

「思瑤，我……」

「我討厭妳！」思瑤走出去憤然拍上了門。

蘊仙望着無名指上的巨型鑽戒，猛然伏在桌上痛哭起來。

金錢！對她到底有甚麼用？

她並不怪責思瑤，也不怨恨任何人，她祇恨自己命太苦了。

一個鐘頭之後，她敲響思瑤的房門。

思瑤打開門，看見她，老實不客氣的說：「妳來做甚麼？我不願意見妳！」

蘊仙委屈地眨一眨眼睛：「思瑤，我是來送錢給妳的。」

「怎麼？」思瑤拖長着聲音：「妳不是說過公事公辦，不能擅作主張嗎？妳不怕被媽媽知道，取消妳管家婆的職權？」

蘊仙極力忍住淚：「我沒有動用公家的錢，這些錢……是我自己的。」

「妳的？」思瑤側着頭問。

「我每個月都有三萬元月費，這些日子我已經儲蓄了一點錢。」

「這是妳的錢，爲甚麼給我？」

「我不敢動用公款，又怕妳失望，所以……」蘊仙把鈔票塞進思瑤的手裏：「妳拿去用吧！」

思瑤看着鈔票，想了好一會，突然她把鈔票交回蘊仙：「妳拿回去吧！我沒有理由要妳的錢。」

「妳還在生我的氣?」蘊仙慌惶的問。

「不，錢是妳的，」思瑤的態度變了:「我不應該花費。」

「這些錢都是奶奶給我的，換句話說，全是你們許家的錢。」

「妳是許家的一分子，妳有權用許家的錢。」思瑤突然明理了。

「但是妳現在等錢用，我每個月的月費都存着，根本沒有地方花費。」蘊仙簡直像是懇求:「請妳拿去結賬吧!」

「我說過沒有理由用妳的錢。」思瑤推開蘊仙的手。

「我和妳親得像姐妹，還分甚麼妳我。剛才我想不到這個好方法，一意孤行，惹得妳生氣，以後妳要用錢，儘管跟我說好了!」蘊仙說完，用閃電手法拋下一萬元，逃了出去!

思棣又穿好衣服準備出去。

那時是午夜十二點，外面吹着狂風，還連着絲絲細雨。

蘊仙一直留心思棣，目送他出門。

思棣又作夜遊，房間空空的、冷冷的，蘊仙黯然飲泣。

突然，她看見桌上放着思棣的錢包，思棣一定忘記帶在身上，出門沒有錢用是不行的，蘊仙相信思棣必定還沒有遠去，他可能仍在車房，她來不及詳細考慮，拿起錢包，便飛奔出去。

一走出花園，冷得蘊仙打了幾個寒噤，因爲她太匆忙，來不及穿外衣，風一吹，就冷着了。

蘊仙走進車房，思棣正在準備開車出去，看見蘊仙，他有點擔心她着涼，同時又有點不耐煩，他大聲喝問：「半夜三更，妳跑出來做甚麼？」

「你忘記帶錢包，我怕你沒錢用。」

「拿過來。」思棣接過錢包：「以後我的事妳不用管，快回去吧！」

蘊仙點了點頭，看着思棣開了車走。

蘊仙吹了風，又淋了雨，第二天就病倒了。

她不想驚動許老太，偷偷吩咐亞寶到藥房買幾片治傷風的藥片。

下午，她沒有吃飯，被許老太發覺了。許老太神色緊張的跑進蘊仙的房間，拉起她的手撫着問：「哪兒不舒服？」

「奶奶，我沒有甚麼，」蘊仙掙扎着起床，被許老太按住了：「祇不過有一點頭暈。」

許老太詳細的看了蘊仙幾眼，柔聲問道：「有沒有悶？」

「有一點點。」

「胃口怎樣？」

「這幾天都沒有胃口。」

「唔！感到疲倦嗎？」

「疲倦極了！」

「蘊仙，」許老太突然叫了起來：「妳一定是有喜啦！」

「甚麼？」蘊仙莫名其妙了。

「剛才我問妳的，全部是懷孕的象徵。」許老太笑得祇見牙齒不見眼：「不要緊的，孕婦大都是這樣，妳躺一會兒，我立刻燒香叩謝神恩，然後燉補品給妳吃。」

「不，奶奶。」蘊仙慌忙捉住許老太的手：「妳誤會了，我根本沒有……」

「妳年紀輕，懂得些甚麼，」許老太依然十分興奮：「我年紀比妳大，又養過兩個孩子，一看就看出來了，如果妳不相信，我立刻請個醫生回來……」

「奶奶，妳聽……」蘊仙拉不住許老太，她忙着燒香去了。

下午，許老太請了一個醫生回來，原本是想證明媳婦是否有了孩子，可是醫生診斷結果，證明蘊仙受了風寒。

許老太失望呆了半天，醫生走後，她坐在蘊仙的床邊，詳細慰問：「吃過藥，好點了嗎？」

「舒服多了！」蘊仙爲了自己並無懷孕而抱歉：「奶奶，妳會怪我嗎？」

「爲甚麼怪妳？」

「因爲我令妳失望！」

「傻孩子，那怎能怪妳?」許老太撫了撫蘊仙的頭髮:「不過，我也有點奇怪，妳和思棣結婚已經有幾個月了，你們又是恩愛夫妻，爲甚麼還沒有喜?」

「我……也不大清楚。」蘊仙當然不能告訴許老太她和思棣衹是名義夫妻。

「人家黃太太的媳婦，過門兩個月就有喜了，而妳……」許老太好言好語的逗着蘊仙:「過幾天，等妳病好了，我和妳去逛公司，順便去見一見婦科醫生，好嗎?」

「爲甚麼要見婦科醫生?」蘊仙深感不妙。

「檢查身體啊!」許老太慈祥的笑着:「難道妳不喜歡養孩子?」

「我……當然想，不過……」蘊仙吞吞吐吐的說不下去。

「就這樣決定吧!我看妳也沒有甚麼病，一兩天就會全好了，後天，我帶妳去見一見我的好朋友潘醫生，叫她替妳全身檢查，經過她的指導，我擔保妳很快就有喜!」

蘊仙不寒而慄，她現在的情形，是萬萬不能看醫生，因爲一看醫生，許老太立刻就會知道她仍然是個處女。那末，思棣和她的秘密就要揭穿，許老太抱孫心切，自然不會容許思棣再胡鬧下去，但，事實上思棣對她又絕無好感，後果如何，委實不堪想像，蘊仙突然說：「我不要見醫生。」

「爲甚麼？」許老太感到很奇怪，因爲蘊仙是從來不會反抗的。

「我不要見醫生。」蘊仙又重複一次。

「蘊仙，妳一向是很聽話的，爲甚麼突然這樣固執？」

「我從來沒有見過婦科醫生，」蘊仙忙亂中找了一個藉口：「所以我害怕。」

「啊！傻孩子，還有甚麼害怕，將來妳有了孩子，一樣需要檢查。」

「不，奶奶，我不去。」

「蘊仙，妳再不聽話，奶奶就不疼妳了。」許老太板了板臉孔，有點不高興。

「奶奶，我不是不聽話，可是……」蘊仙又慌又怕，她怕許老太對她不滿，又怕醫生揭穿她的秘密，她急得想哭，但是，她知道哭是沒有用，唯一的辦法是說服許老太：「奶奶，我和思棣結婚還不足四個月，何必太着急，奶奶，再多等兩個月好不好？如果到時仍然沒有孩子，我一定聽妳的話去檢查。」

「好吧！既然妳不願意，我也不勉强妳，」許老太心裏不高興，但是却沒有留難蘊仙：「不過，希望妳了解老人家的心，我急巴巴要你們結婚，也祇不過想早日抱孫。」

許老太出去後，蘊仙慌惶無主，又捧着梅老太的遺照哭了起來。

* * *

蘊仙矇矓醒來，發覺思棣在結領帶準備出外。

「思棣，今晚不要出去了，好嗎？」蘊仙第一次作出這樣的要求。

「爲甚麼？」

「我……不舒服。」蘊仙撐起身體坐在床上：「房間老是靜靜的，我怕！」

思棣憐憫地看她一眼，他皺了皺眉說：「有時候，我見妳一個人守着這麼一個大房間，也爲妳感到難過，但是，妳可不能怪我，因爲，我早就把一切缺點告訴妳，是妳堅持要嫁給我的。」

「我並沒有埋怨你，祇請求你今晚不要出去。」

思棣也知道蘊仙的病，是爲了昨天送錢包給他而起，本來，他也想遷就她一次，可是，他立刻又想起了艾齡，因爲昨晚艾齡叮囑他今晚早點去，等他吃消夜，思棣忠於愛情，不能夠爲了同情別人，而令自己的心上人空盼望，因此，他反而迅速穿上外衣。

「思棣，我有很多話要跟你說，」蘊仙着急了，因爲許老太急於抱孫的問題，她是非要和思棣商量不可：「你遲一點出去行不行？」

「我和妳之間要說的話，那天在咖啡店早就應該說清楚了。」思棣一面旋着門球，一面說：「如果妳實在熬不住寂寞，現在考慮我提出的要求還不會太遲。」

思棣掩上門，出去了。

「他一定有了別的女人！」蘊仙雙眼直瞪着發呆，心裏却在哀鳴：「媽，妳爲甚麼這樣忍心，留下我一個人在世上受苦，我的親媽媽，妳在哪兒？妳把我帶走吧！我不願意做人了，我受夠苦啦……」

＊　　＊　　＊

「艾齡，那傻子呢？」何伯昌從外面回來，一看見女兒便低聲問。

「他早就上班去了。」

「哼！他每天進進出出的，看得我心火上升。」何伯昌提高了聲音：「艾齡，今晚妳警告他，叫他不要再來，妳說爸爸正在生氣，如果他再來，當心我把他的人頭砍下來。」

「爸爸，你不是叫我設法拉住他的嗎？怎麼突然又……」

「他已經答應娶妳？」

艾齡搖了搖頭。

「他既然連娶妳的本領也沒有，還招呼他食住做甚麼？」何伯昌瞪一瞪眼：「難道要我賠了夫人又折兵？」

「爸爸，你打算放棄他了？」艾齡關切的問。

「唔，這沒用的傢伙我早就想把他一脚踢開。」

「這樣說，我的任務完啦！」艾齡輕鬆地聳一聳肩膊。

「完？嘿！我花了那許多心血，就讓他佔盡便宜嗎？」何伯昌冷笑幾聲：「這傢伙不能用，我們就另外想辦法，嘻！這兒有一張醫生報告書，今天早上我已經替妳弄好，妳拿着它，去見姓梅的女人。」

「爸爸，你……」艾齡打着退步。

「去！」何伯昌大喝一聲：「這是唯一的方法，我跟妳說得好好的，妳忘記了嗎？」

「爸爸，我又不認識她，而且，我根本……」

「妳這臭丫頭，越來越沒用，我叫妳迷住思棣，要他娶妳，可是他却和另一個女人結婚了，妳還有甚麼話說？」何伯昌一步步迫過去。艾齡衹好往後退。

「說話呀！啞了嗎？」

「爸爸，你叫我做這件事，也應該查清楚，思棣早就有了未婚妻。」艾齡嗚咽起來。

「有了未婚妻又怎樣?有了老婆也一樣可以離婚。」何伯昌攤着雙手:「誰知道他是個二十四孝的傻瓜?」

「爸爸,算了吧,凡事不可勉强。」艾齡怯怯的說。

「算了?我的損失由誰去塡補?都是妳不好,如果妳夠手段,許思棣和妳結了婚,妳現在已經是許家大少奶,大權在握,享盡榮華,也輪不到那林黛玉享福了。」

艾齡垂下頭,沒有勇氣反抗。

「還不去換衣服?」

「爸爸,我怕!」

「怕甚麼?我已經替妳查過了,許老太婆和她的小女兒去了澳門探望她的姐姐,許家祇有性梅的一個人,這女人心性極單純,一兩下手法就會令她貼服,她絕對不是妳的對手。」

「爸爸……」艾齡爲難地不想動。

「喂！妳就算不爲自己着想，也應爲方維着想。」何伯昌軟硬兼施：「妳站着發呆，是不是又要我動皮鞭？」

艾齡全身發抖，皮鞭的滋味，令她整個屈服了。

天氣漸暖，蘊仙替思棣把寒衣收藏起來。

蘊仙在房間清理一切，屬於思棣的東西，她常常親自料理，思棣缺少甚麼，她立刻會替他補充。

她要做一個好妻子，雖然她祇不過是一個假妻。

「大少奶，大少奶！」亞寶突然神色緊張的從外面跑進來。

「甚麼事？」

「外面有一位姓何的小姐要見妳。」亞寶喘着氣說，好像被老虎追趕。

「姓何的小姐？」蘊仙怎樣也想不起來：「亞寶，妳也知道我沒有朋友的，她一定來找二小姐，妳告訴她，二小姐去了澳門。」

「不，她指明要見大少奶的，」亞寶說：「何小姐長得很漂亮，打扮得像電影明星，我好像在哪兒見過的。」

「說不定她是奶奶朋友的千金。」蘊仙站起來，發覺自己祇穿了毛衣長褲：「我要出去招呼她。」

「大少奶，我想起來了。」亞寶突然失聲高叫，「一年前，我看見她和大少爺一起上酒館，她一定是大少爺的契家婆。」

「甚麼叫做契家婆？」

「契家婆就是情婦。」亞寶很緊張的說：「大少奶，妳出去見她，要小心一點。」

「別胡說，大少爺哪裏有情婦？」蘊仙責備說：「妳一定認錯人了。」

「我亞寶又沒有近視眼，怎會認錯人？」亞寶喃喃說：「少奶，換一套衣服，也打扮得漂亮些。」

「衣服是要換的，奶奶最不喜歡我穿長褲見客。不過，亞寶，妳也太神經過敏了。」蘊仙匆匆梳好頭髮，又換了一套淺綠色的旗袍套裝。

蘊仙走出客廳，看見一個艷光四射的女人正笑盈盈的站了起來。

「這位是……」蘊仙從未見過這個女人。

「許太太，」她很有禮貌的說：「我姓何，叫艾齡。」

「艾齡？」蘊仙感到這個名字並不陌生：「何小姐，請坐吧！」

「對不起，許太太，我今天來打擾妳，是爲了找妳商量一件重要的事。」艾齡逐漸收起笑容。

「請問有甚麼指教？」

「我們以前沒有見過面？……」

「是的，」蘊仙笑一笑，說：「所以我感到很奇怪……」

「怎樣？思棣沒向妳提過我？」艾齡故作驚異。

「思棣？」蘊仙呆了呆：「妳也認識外子？」

「我不單祇認識他，而且我和他……」艾齡鎖起眉頭嘆了一口氣。

「妳和他怎樣？」蘊仙的心房幾乎跳了出來。

「我是他的秘密情人，妳難道眞的不知道嗎？」

「啊！」蘊仙頹然的縮下脖子，她像一隻受了重傷的天鵝。

「我和思棣已經認識一年了，他答應和我結婚的。」艾齡訴苦說。

「妳來找我，是有甚麼要求嗎？」蘊仙有氣沒力的說：「妳儘管說出來吧！」

「本來，我也不想惹麻煩，思棣旣然不能和我結婚，那就算了，誰叫自己這樣命苦？」艾齡突然掩面哭了起來：「可是……可是，前天我去看醫生，醫生他……他說我有了孩子。」

「甚麼？」蘊仙整個人跳了起來：「妳有了思棣的孩子？」

「是的，如果妳不相信，可以看一看報告書。」

「用不着看了，我相信妳的話。」蘊仙把報告書擋回去，她惘然地望着前面問：「思棣已經知道妳有了孩子？」

「我還沒告訴他。」

「為甚麼？」

「我先要和妳商量。」

「這是妳和思棣的事，應該由你們自己去解決。」蘊仙偷偷的抹了淚。

「這雖然是我和思棣的事，但對妳却有重大的影響。」艾齡唬嚇着說：「據我所知，許老太第一件心事是要抱孫，如果她知道我有了許家的骨肉，妳猜她會怎樣？」

「她會很高興，希望妳替她養一個男孫。」蘊仙老實地回答。

「到那時，這個家就會由我來當了，大權也會落在我的手上。」

「我並不在乎權勢。」蘊仙悽然搖着頭。

艾齡心裏一愕，她覺得蘊仙比想像中還要難於應付，因為，她全無虛榮之心。

「就算妳不在乎，我也不容許我將來的丈夫有另外一個女人。」艾齡狠了狠心說。

「妳……要把思棣據為己有？」蘊仙控制不住了，她嗚咽起來。

「唔！那要看妳肯不肯和我合作，如果妳態度良好，我是會顧念妳的。」艾齡咬唇想一想說：「這樣吧！妳給我一千萬，我先把孩子弄掉，然後我立刻離開香港，永遠不和思棣見面。」

「一千萬？我哪來的一千萬？」

「妳的情況我很了解的，」艾齡看一看腕錶，她生怕思棣下班之後會立刻回家：「妳絕對拿得出一千萬。」

「何小姐，我不怕坦白對妳說，」蘊仙鬱鬱地說：「自從先父生意失敗之後我娘家就一貧如洗……」

「我並不是向妳娘家打主意，」艾齡爭取時間，截住蘊仙：「許家有的是錢，大權又握在妳的手上，妳祇不過付出一千萬，就可以整個地得到思棣。」

「是的，」蘊仙發出一絲笑意，但是，祇一瞬，她又嘆氣說：「不，我不能這樣自私。」

「許太太，請妳爽快一點。」艾齡催着說。

「何小姐，希望妳能夠坦白回答我一個問題。」

「請妳快說吧！」

「妳……」蘊仙緊捏着雙手，因爲她的兩隻手已經變了兩塊冰，而且整個人也有點顫慄：「是不是很愛思棣？」

「我已經寧願把思棣整個讓給妳，還問這個幹甚麼？」

「我一定要知道。」蘊仙固執地說。

「好吧！我告訴妳，我很愛思棣，」艾齡加强氣氛：「但是，我同情妳，所以我願意犧牲自己，弄掉孩子，把愛人雙手奉送給妳，許太太，祇要妳給我一點費用，讓我到外國生活，永遠離開思棣。」

「思棣愛妳，妳也愛思棣！」蘊仙看一看艾齡，喃喃的說：「你們眞是天生一對，我爲甚麼一定要隔在當中？」

「許太太，妳對我的要求……」

「我答應妳，」蘊仙點着頭：「不單祇一千萬，還有我在許家的地位，包括許思棣。」

「甚麼？」艾齡完全不明白。

「我決定退出了，」蘊仙悽然垂首：「愛情並不是索取，應該是奉獻。」

「許太太，妳完全誤會了！」

「過去我太自私，總是想着自己，因爲我太愛思棣，我離不開他，雖然思棣曾經要求我解除婚約，但是我不肯，我一定要跟着他！所以他恨我。」

「思棣是可愛的，妳不要放棄他。」艾齡又看一看腕錶。

「何小姐，妳知道嗎？我留在許家，還有一個更自私的念頭，我把許家當作靠山，我依附它而生存。」蘊仙哽咽着，向艾齡傾訴：「爸爸死後，母親憂鬱成病，她臨終的時候，囑咐我投靠許家……」

「原來妳也是孤兒。」艾齡突然對她產生同情：「妳的兄弟姐妹呢？」

「我不單祇沒有兄弟姐妹，而且連一個親人也沒有，許家是我唯一可以投靠的地方，所以，無論我怎樣苦，我也要躭下去！」

「許太太，我很同情妳！」艾齡眞心眞意的說。

「妳爲了同情我，願意犧牲自己，妳善良，太偉大了，我感激妳！」蘊仙的淚直淌下來，像兩條小河：「我也要報答妳，何小姐，我……我決定離開許家，我……」

「許太太，妳千萬不要這樣做。」艾齡吃驚了，一手捉住蘊仙。

「我應該這樣做，這些日子，因爲我的自私，令到我們三方面痛苦，奶奶失望。」蘊仙抽噎一下：「我離開許家之後，妳可以和思棣結婚，那時候，思棣會快樂，妳不再痛苦，奶奶如願抱孫，思瑤也高興有一個像妳這樣漂亮和適合時代的好嫂嫂。」

「可是，妳自己呢？」艾齡感染到凄涼，她也哽咽了。

「我？……」蘊仙苦笑一下：「我可以回馬來西亞，現在我想起來了，隣居五嬸的女兒，她答應介紹我去當女教師，對着孩子，我會樂觀起來。」

「啊！天！」艾齡突然掩面痛哭：「爲甚麼一定要我傷害好人？」

「不要難過，祇要所愛的人得到快樂，犧牲是值得的，」蘊仙推了推艾齡：「快去向思棣報喜，讓他高興一下。」

「許太太，我慚愧，我……」艾齡驀地抬頭抓住蘊仙的手：「我很難向妳解釋，總之，我罪過，我今天來，是有計劃、有陰謀的，我……根本從來沒有愛過思棣，我也沒有孩子，我祇不過想騙妳的錢……」

「何小姐，我明白，我一切都明白。」蘊仙安慰她：「妳有了孩子，不要太激動。」

「我沒有孩子，我哪來的孩子？」艾齡尖聲哭叫：「我和思棣是清白的，他每晚到我家裏來，我們吃過消夜，他就回到我給他準備好的客房睡覺，如果妳不相信，可以問思棣。」

「何小姐，請妳……」

「我要走了。」艾齡看一看錶，抹去眼淚，匆匆站了起來：「不要讓思棣知道我曾經來過，妳放心，從今之後，我發誓不再見思棣。祝妳家庭幸福，夫妻恩愛，再見！」

「何小姐，何小姐！」蘊仙想留住她，但是艾齡頭也不回的走了。

蘊仙目送她的背影，感慨地說：「多善良，多偉大的女人，思棣沒有愛錯她，我犧牲是值得的。」

* * *

「死丫頭，我要妳去做世界，妳竟然和情敵抱頭哭相思？」何伯昌破口大罵。

「爸爸，梅小姐的身世很可憐，我不忍心傷害她。」艾齡說。

「她是甚麼人？妳不忍心傷害她，就忍心傷害我？」何伯昌狠狠擰着她的手臂。

艾齡慘叫求救：「爸爸，請你不要……」

「好，我就放開妳，不過，妳要乖乖的聽話。」何伯昌用完硬，又用軟：「那姓梅的既然自願離開，妳立刻打電話通知思棣，叫他和妳結婚，至於儀式，反正將來妳要嫁方維，所以一切可免則免，等妳大權到手，哈哈！到那時候，別說一千萬，四倍、五倍都有。」

「我怎能隨隨便便的嫁人？」

「誰要妳嫁人？思棣這樣聽話，祇要妳耍些小手段，拖他一拖，一兩個月就過關了。」

「我才不做這種不要臉的事。」艾齡喃喃的說。

「去打電話給思棣，叫他立即來，快！」

「我不去！」艾齡怯怯的說。

「妳這死丫頭，枉我辛辛苦苦養大妳，妳現在作反啦！好，妳不聽話，我就用皮鞭打到妳聽。」何伯昌說着，走進房間拿皮鞭。

過去，艾齡總是聽皮鞭而膽喪，但是，今天她所關心的是思棣和蘊仙，她知道何伯昌是志在必得，他一定不會放過思棣。

她必須趕快通知思棣，然而，她怎樣逃出去呢？如果她從大門走，必須經過何伯昌的房間，何伯昌很機警，她一定逃不過這一關。她回頭看見露台，她家的露台和隣家的露台祇不過相距幾呎，隣家的黃太太又是她的好朋友，如果她趁何伯昌未出來之前爬了過去，她縱使在何伯昌的監視下，逃不出這所大厦，但是，她可以在黃家打電話給思棣，祇要揭穿何伯昌的陰謀，他就無可施其技。

艾齡不再顧及本身的安危，因爲由於她而令思棣蘊仙受苦，她心裏難過，急於贖罪，她敏捷地閃身出露台，正當她爬上露台的圍牆，抓着一條横鐵想攀過隔隣，突然後面響起了何伯昌憤怒的聲音：「妳這賤人，竟敢逃走？」

艾齡知道前進死，後退亡，此時此地，她不願意再落在何伯昌的手上，她不顧一切，一步步向接近隔隣露台的方向走去。

何伯昌見艾齡不理他，他更加憤怒，他也跳上圍牆，直迫艾齡，由於圍牆的平面極狹窄，艾齡走動困難，她走了幾步，就被何伯昌抓住，何伯昌雙手抓住她背部的衣服，把艾齡整個人向地下一摔，艾齡的腿壓在地上，痛得當堂暈了過去。

與此同時，何伯昌因爲用力過猛，身體失去平衡，狹窄的圍牆容納不下他的兩隻脚，他身體向後一仰整個人竟由十八樓的露台掉到街上……

*　　*　　*

蘊仙把一件件的衣服放在皮篋內，沒有眼淚，沒有悲傷，也沒有希望。

亞寶首先知道一切，她爲了蘊仙的離去而躲在門角哭泣。

蘊仙明天就要走了，她很幸運，訂到明天早上九點鐘起飛的班機，她必須在許老太回來之前離去。

她捨不得許老太，那慈祥的老人。可是，命運之神已經爲她安排一切，她祇好悽然接受。

房間是寂靜的，祇有亞寶輕微的飮泣聲，生離死別，也難怪亞寶傷心。

突然房門被推了開來，思棣風一般的捲進來，沒一句話，拉起蘊仙便往外走。

「思棣，你怎麼了？」

「別多問，跟我到醫院去。」飛快地，兩人已走出花園。

「醫院，那是怎麼一回事？」蘊仙滿腹疑團，突然而來的事，令她心跳。

思棣沒有理她，直開車到醫院去，然後又牽她走上樓上的病房。

推開一扇白色的門，蘊仙看見艾齡躺在床上，左腿纏上紗布。

思棣直衝到床前，無限憐惜地撫了撫艾齡的頭髮：「妳要見的人，我已經把她帶來了。」

蘊仙滿腔酸味，迫得垂下了頭。

「思棣，我的義父已經死了，我應該向你坦白……」艾齡幽幽地說。

「義父？何伯昌不是妳的生父？」

艾齡搖了搖頭：「我和許太太一樣，也是個孤兒，何伯昌和我家有一點交情，是他把我養大的，他一向待我很好，直至兩年前，他要求我和他合作幹騙財的勾當，他第一個對象便選中了你，因爲，他知道許老太手上有很多錢，如果我和你結婚之後，在他想像中，許家的財權一定會落在我的手上，到那時，他就會教我怎樣把許家的錢逐步吸取過來。」

「艾齡，妳說的話是眞的？」思棣驚異地張大嘴巴，蘊仙也愣住了。

艾齡點了點頭，繼續說：「後來你和許太太結婚，我感到很高興，因爲，我以爲義父的騙財計劃總可以結束了，誰知道義父仍然要我纏住你，要你每晚在我家留宿，又教你怎樣冷落和折磨新婚妻子，一直要迫到許太太自動離婚才肯罷休，可是，經過幾個月的時間，義父知道你們是不會離婚的，於是，他又轉變計劃，要我去見許太太，假意自稱懷孕，恐嚇和騙取許太太一千萬，但是自從我見到許太太，我被她的忠厚、善良感動了，而且，她又是毫無條件、毫無保留的愛你，因此，我決定背叛義父，義父知道我要揭穿他的計劃，他很生氣，當我爬上露台想逃往隣家打電話告訴你義父的陰謀時，義父把我抓下來，摔得我渾身疼痛而暈了過去，而義父因爲用力太猛，自己竟跌下街心……」

「艾齡，眞想不到，」思棣感嘆說：「妳爲甚麼要任由義父擺佈？」

「我每次反抗，他就用皮鞭打我，」艾齡掩住眼睛哭了起來：「而且，他哄騙我，如果騙到許家的錢，他就讓我和方維結婚。」

「方維？」思棣跳了起來，追着艾齡問：「方維是誰？」

「方維是我的愛人，我們十二歲就開始戀愛，他因爲要到外國留學，已經去了三年，他答應明年畢業後，立刻回來香港和我結婚。」艾齡不敢抬頭看思棣：「義父說過，如果我不和他合作，他就不准我和方維結婚，我因爲很愛方維，所以……」

「妳……」思棣指住艾齡，打斷她的話：「不是說過我是妳唯一的愛人？」

「那是義父威迫我說的，其實我的心早已交給方維。」

「啊！怪不得妳老是關心信箱，又常常關起房門寫信，原來妳早已有了愛人。」思棣的眼發出青光，他喝着問：「妳爲甚麼要欺騙我？爲甚麼要傷害我寶貴的心？」

「思棣，我知道罪大惡極，但我是被迫的，」艾齡囁嚅着：「請你原諒我吧！」

「原諒？一句話就可以抵償我所有的損失了嗎？」思棣抓住艾齡的肩膊，憤怒地說：「妳傷害我的情感，破壞我的家庭，毀了我一生的幸福，我本來有一個很好的妻子，可是妳，是妳……妳教我駡她、折磨她、冷落她，令她受苦，妳……」

「思棣，許太太始終愛你，而且，這又不是你的錯，她會原諒你的！」艾齡求救似的望着蘊仙。

「原諒？胡說，鬼才會原諒我，妳這妖精，害人的妖精。」思棣抓住艾齡的肩膊猛搖：「我要殺妳，殺死妳！」

「思棣！」艾齡哀叫着。

「思棣，住手。」蘊仙不忍看見艾齡受痛苦，她握起拳頭猛搥發了狂的思棣：「我要你停下來，你把她的靈魂都搖出來了。」

「我恨妳！」思棣驀地拋下艾齡，死盯她一眼，然後撲在牆上飲泣起來。

「許太太。」艾齡抓住蘊仙的手，慌惶的問：「妳會原諒我嗎？」

「我了解妳，也體諒妳。」蘊仙溫柔地說：「爲了愛情，更聰明的人也會做傻事。」

「噢！」艾齡又哭了起來。

很久，很久，一個穿白制服的護士走進來，她看見思棣和蘊仙，非常詫異的問：「咦！我以爲你們早就走了，病人需要休息，你們最好不要再騷擾她。」

「何小姐，我也有事趕着去辦。」蘊仙低頭說：「好好的休息，別令遠方的朋友爲妳擔心。」

「謝謝妳！」艾齡强忍住淚：「再見！願妳從此快樂！」

「小心保重！」

離開病房，在甬道上，蘊仙深深吸了一口氣。

後面有急促脚步聲，蘊仙回頭一看，思棣正在趕上來。

「蘊仙！」思棣欲言無語。

「……」

「我太對不起妳，我罪該萬死，我不知道怎樣才能夠令妳寬恕我的罪過。」思棣追悔莫及。

「算了吧！事情已告一段落，一切都成過去。」蘊仙沉着聲說。

「蘊仙，妳是……」思棣半驚半喜。

「我明天乘飛機離開香港，過去的，我不想追究了。」

「甚麼？」思棣呆住了：「蘊仙，妳不是唬嚇我吧？」

「飛機票已經買好了。」蘊仙淡然說：「你回來的時候，我正在執拾行李。」

「啊！蘊仙，不，不，我求妳不要離開我！」思棣幾乎跪在地上。

「請你不要這樣。」蘊仙莊重的說：「這兒是公衆地方。」

「蘊仙，我雖然對不起妳，令妳對我懷恨，不過，請妳看在媽媽的份上，留下來。媽媽最愛妳，如果妳不辭而別的話，她一定很傷心，媽媽身體向來虛弱，受不住刺激，妳毫不留情的離開她，簡直是要她的命。」

許老太慈祥的笑顏，立刻呈現在蘊仙的腦際，蘊仙咬唇想了想說：「好吧！爲了許伯母，我暫時留下來。」

「那好極了！」思棣的眼睛發亮：「以後，我一定要做個好丈夫，盡一切力量令妳快樂，彌補我的罪過。」

「不，我已經決定和你解除婚約，以後，我們最好還是做一個普通朋友。」

「普通朋友？蘊仙，我們已經認識十年了。」思棣痛苦地說。

「十年又怎樣呢？」蘊仙的聲音很溫和，但其中有刺：「你不是說過，以前我們所有的是孩子的感情，那是淺薄的，不足以維繫一對夫婦？」

「蘊仙，我知道，我在妳的眼中，祇不過是一個萬惡魔王。」思棣痛苦地、長長嘆了一口氣：「我沒有勇氣請求妳原諒，祇希望有一天，妳會給我一個贖罪的機會。」

「將來再說吧！過去的一切，我需要一段很長的時間去回憶和檢討。」蘊仙平靜地說：「天亮了，回去吧！」

走出醫院的大門，太陽已經由東方昇起，蘊仙抬起頭，看見天際有一彎艷麗的彩虹。

（完）

岑凱倫作品介紹

那年夏天	不再寂寞	金龜婿
情陷姐妹花	情海	去年聖誕
金童玉女	青春火花	三個願望
午夜香檳	鄰家的女孩	陽光下的童話
一串夢	八月櫻桃	情人13
花之舞	甜心別玩火	雷夢娜
野玫瑰與鬱金香	還妳前生債	水晶
四角遊戲	初戀情人	彩虹公主
蜜糖兒	但願人長久	洋洋的佳期
安妮達	婚禮	澄莊
櫻花表妹	名公子	天鵝姑娘
貼身保鏢	黃色康乃馨	再生緣
蝴蝶夢	青春十八	燭光·秋夜·紫羅蘭
紫色的月亮	幸運指環	幸運兒
影子山莊	嗨！女孩子	海邊·夕陽
俏郞君	愛情帖	幸福花
花花公主	小星星	白馬王子
織千個夢	豪門奇譚	愛如春風
淘氣紅娘	愛的律言	春之夢幻
眞命天子	倩影亭亭	風逝
金冠天使	雙面娃娃	祝福他
幻羽噴泉	夜風中	愛神
婚紗	愛的彩衣	飄過雲彩
仲夏·浪花	愛情圈	相思鳥
美麗女波士	永恒的琥珀	柔情

各大書局、地利店、三聯書店、中華書局、萬寧、商務印書館、大衆書局及世昌便利店有售。

林如是

作品介紹

十七歲的純情
屬於風的女子
愛情亂調
青橄欖之戀
假裝我們在相戀
一千年的最初
預知愛情紀事
祇愛你一個
把所有的愛留給你
初戀情狂
暗夜吻別
那段戀情
威尼斯情海（全都是愛之一）
傾國傳說
維多利亞19XX（全都是愛之二）

于晴 新書介紹

馭食記之一

唯心而已

聶家兄弟十二人，各有不同故事。

聶七爺，與這名喚餘恩的女子……

緣從何來？不過唯心而已。

她認識他之際，他是個溫和的男人。

之後，即使發現他不若表面，但也祇以爲他的性子略嫌暴躁。

她根本不瞭解他心口的熱情幾乎淹沒了他殘留的理智。

他喜歡她，眞眞切切，無關她的性子、容貌……